Les horizons
terrestres

ANDRÉ LEBEAU

Les horizons terrestres

RÉFLEXIONS SUR LA SURVIE
DE L'HUMANITÉ

le débat

Gallimard

L'étrange humain qui, en attendant que la mort le délivre, vit les volets clos, ne sait rien du monde, reste immobile comme un hibou et comme celui-ci, ne voit un peu clair que dans les ténèbres.

MARCEL PROUST

Avant-propos

Que peut faire l'espèce humaine pour sortir de l'impasse où l'ont engagée l'évolution du système technique et les formes sociales engendrées, ou en tout cas permises, par cette évolution ? Dans deux essais antérieurs, j'ai essayé de démonter les mécanismes qui gouvernent, d'une part, l'accélération de l'évolution technique et, d'autre part, le conflit global entre les besoins croissants de l'espèce humaine et les ressources limitées de son habitat planétaire[1]. Je me suis gardé de prophétiser l'issue de cette confrontation, mais j'ai aussi pris le parti de ne pas aborder la question des actions qui seraient propres à assurer à l'espèce humaine un futur lointain, conservant en cela l'attitude d'un observateur extérieur qui veut s'abstenir de tout choix éthique. Dans ce qui suit, je ne formulerai pas davantage de prophétie, mais il m'a semblé que je devais avancer quelques réflexions sur les démarches qui pourraient conduire l'humanité vers un avenir durable et, si possible, harmonieux.

Fairfield Osborn a publié en 1948 — vingt-quatre ans avant la parution du rapport du Club de Rome — un texte

---

1. André Lebeau, *L'Engrenage de la technique. Essai sur une menace planétaire* et *L'Enfermement planétaire*, Paris, Gallimard, « Bibliothèque des sciences humaines », 2005, et « Le Débat », 2008.

très pessimiste inspiré par la destruction des ressources de la planète. Il observe que « la coutume veut que quiconque professe des opinions comme celles-ci doive, soit formuler un programme précis pour sauver la situation, soit, en admettant que celle-ci est sans issue, se résigner à dire que nous en arrivons maintenant au crépuscule de la civilisation[1] ». Je ne ferai ni l'un ni l'autre. Formuler un programme précis est une ambition inaccessible. Se résigner n'exige pas de longs discours et les chants désespérés ou révoltés ne sont pas du tout mon fait. Toutefois, en deçà d'un programme précis, il est sans doute utile de réfléchir à ce que pourraient être les lignes d'action dont ce programme s'inspirerait, et c'est ce que je tenterai de faire.

L'humanité, en effet, est confrontée à une menace qui n'a aucun précédent dans l'histoire de la civilisation, ni même dans celle de l'espèce biologique. C'est la toute première fois, sur cette Terre, qu'une forme supérieure de vie animale accède au statut de force géologique, comme le firent les espèces qui créèrent les gisements de charbon et les bancs de calcaire, et comme le sont encore aujourd'hui les espèces végétales qui contribuent à la stabilité du climat. On ne peut donc accepter sans examen l'idée que les institutions humaines, les structures et les comportements collectifs qui organisent la société puissent, moyennant des ajustements mineurs, s'adapter aisément à la réalité de cette menace. Mais la conception *ex nihilo* d'une société adaptée à la finitude de la planète fait surgir le risque de l'utopie.

Tomber dans l'utopie peut résulter d'une démarche d'apparence innocente. C'est ainsi qu'en 1972 le Club de Rome a reçu d'une équipe du MIT un « rapport sur les

---

1. Fairfield Osborn, *La Planète au pillage* [1948], trad. de l'anglais par Maurice Planiol, Arles, Actes Sud, 2008.

limites à la croissance », plus connu sous le nom de rapport Meadows[1]. Ce rapport indiquait que la poursuite du développement dans ses lignes actuelles conduisait à un collapsus économique et démographique qui se produirait entre 2050 et 2100 : conclusion somme toute évidente, puisque la croissance dans un milieu fini ne peut se poursuivre indéfiniment. Le calcul de l'échéance péchait sans doute par pessimisme, bien que nous n'ayons pas encore atteint le terme fixé ; on n'avait pas anticipé les sursis permis par certains éléments de l'évolution technique. Mais la conclusion demeure et, à l'échelle de l'histoire qui se mesure en siècles, la durée de ces sursis est presque imperceptible. L'utopie s'est introduite dans la façon dont le Club de Rome a présenté le rapport Meadows sous un titre tapageur : *Halte à la croissance ?* — titre peut-être choisi par l'éditeur. L'objectif immédiat d'une société statique, une société à croissance nulle, est clairement affirmé dans cette publication aussi bien que dans la préface de Robert Lattès, mais les moyens d'y parvenir et l'harmonie de cette société ne sont abordés que de façon très sommaire. « La limitation de la croissance », lit-on, « va à l'encontre de toutes les idées reçues et de la plupart des programmes politiques, dont les gouvernements et les partis nourrissent le monde entier » et, plus loin, cette litote majeure : « Elle commandera une adaptation socio-psychologique à de nouvelles conceptions du progrès. » C'est vraiment là le moins qu'on puisse dire. Aussi bien, une levée de boucliers des tenants de la vulgate économique a durablement discrédité, non seulement les conclusions du Club de Rome,

---

1. Donnella H. Meadows, Dennis L. Meadows, Jørgen Randers et William W. Behrens, *Rapport sur les limites à la croissance*, trad. de l'anglais par Jacques Delaunay, dans *Halte à la croissance ?*, Paris, Arthème Fayard, 1972.

mais, ce qui est plus grave, la démarche de modélisation globale de la société humaine initiée par l'équipe du MIT. Et cependant, pour très imparfaite qu'elle ait été, elle n'en ouvrait pas moins une voie prometteuse.

À quoi se résume l'erreur tactique commise? C'est d'être passé sans précaution d'un diagnostic, celui du rapport Meadows, à une préconisation, l'arrêt de la croissance, sans prêter attention au trajet qui pourrait permettre d'accomplir harmonieusement cet arrêt. Or c'est là tout le problème, et c'est là que peut s'introduire l'utopie. Les constructions utopiques ne se définissent pas par l'incohérence de leur construction qui peut être, même si ce n'est pas toujours le cas, parfaitement rationnelle et décrire un état de la société éminemment concevable. Ce qui leur fait défaut, c'est le trajet par lequel, partant des choses telles qu'elles sont, on pourrait atteindre cet état. La croissance s'arrêtera de toute façon, mais la véritable question est de savoir comment elle s'arrêtera et, le cas échéant, au prix de quelles destructions et de quelles souffrances.

En écrivant cela, je n'entends nullement condamner les réflexions sur les constructions utopiques d'une société du futur. Elles sont propres à stimuler l'imagination quant aux objectifs concevables. Mais, à supposer que l'objectif d'une société future vivant en équilibre avec sa planète soit formulé, pour qu'il puisse servir de guide à l'action il faut concevoir des cheminements qui y conduisent. Ce sont ces cheminements, comme lignes directrices de l'action, que je m'attacherai à identifier dans le corps de cet essai.

Les lignes d'action que l'on peut chercher à mettre en œuvre supposent que l'on se donne préalablement des fins dont procéderont des impératifs. C'est le propre de l'être humain d'être capable de concevoir un avenir dominable et, par rapport à cet avenir, de concevoir des desseins. Mais le choix des fins n'est dicté par aucune rationalité : il s'agit d'un choix éthique que l'on peut postuler mais auquel on ne saurait donner aucun fondement sans recours à une transcendance. Des considérations d'efficacité m'amènent à formuler les fins concernant l'avenir humain en des termes très généraux et, plus précisément, en des termes susceptibles de susciter une large adhésion des masses humaines. Faute de cette adhésion, ou faute d'une croyance, l'objectif d'une transformation profonde des comportements collectifs de l'espèce ne peut être atteint.

Je retiendrai comme premier objectif de l'action la pérennité de l'espèce, la survie de l'humanité pour une durée indéterminée mais comparable, en tout cas, à la durée historique : quelques millénaires. D'autres auteurs ont choisi des périodes plus longues. C'est ainsi que Roger Bonnet et Ludowijk Woltjer ont fixé leur ambition à mille siècles, ce qui place l'époque actuelle approximativement à mi-chemin de l'émergence de l'espèce biologique et de l'horizon choisi[1]. Si je retiens une période beaucoup plus courte, c'est d'abord parce que les actions dont nous allons tenter d'identifier la nature s'imposent, elles aussi, à une échéance beaucoup plus courte. C'est à l'échelle des siècles que la survie de la civilisation — sinon celle de l'homme en tant qu'espèce biologique — se joue. De cette survie à horizon rapproché dépendra qu'il y ait un sens à envisager des actions s'exerçant sur une période vingt fois plus longue que celle qui nous sépare de Sumer. En d'autres termes, avant de songer à vivre longtemps, voyons comment nous pouvons survivre aux menaces immédiates. Mais aussi nous pouvons considérer qu'en quelques millénaires l'évolution naturelle n'aura pas le temps de

---

1. Roger-Maurice Bonnet et Ludowijk Woltjer, *Surviving 1 000 Centuries. Can we do it?* Berlin, Springer Praxis Books, 2008.

transformer l'espèce humaine en quelque chose d'autre. Comme le passé nous l'enseigne, il en va autrement à l'échelle de cent millénaires.

Hans Jonas, dans *Le Principe de responsabilité*, a formulé un impératif de survie : « L'obligation inconditionnelle d'exister pour l'humanité qu'il ne faut pas confondre avec l'obligation conditionnelle d'exister de tout individu particulier. [...] Le droit au suicide de l'humanité, cela ne se discute pas. » Je reviendrai sur les fondements de cette assertion et sur le fait que « de l'humanité à venir on ne peut ni obtenir ni supposer un accord relativement à [son] inexistence ou à [sa] déshumanisation[1] ». Je me bornerai, à ce stade, à prendre cet impératif comme un fondement de l'action.

Je me propose d'essayer de définir les contraintes que la société devra accepter à l'échelle de la Terre pour survivre et continuer, sinon à se développer quantitativement, ce qu'interdit la finitude de son environnement, du moins à évoluer qualitativement. Il s'agira, en second lieu, d'identifier les obstacles que constituent les pratiques actuelles de l'humanité face à une évolution qui pourrait mener à cette société durable. Certains de ces obstacles ont été créés par le jeu des circonstances, mais la plupart sont ancrés dans les déterminations génétiques de l'identité humaine. C'est trop peu de dire que ce que je qualifie d'obstacles s'oppose à une évolution vers une situation stable et durable. Ces obstacles ne sont pas statiques ; ils pèsent activement dans la direction opposée. Les termes de « développement durable », dont on use et abuse, dissimulent une contradiction profonde, l'idée que l'on puisse aller vers une société

---

1. Hans Jonas, *Le Principe responsabilité. Une éthique pour la civilisation technologique* (trad. de l'allemand par Jean Greisch), Paris, Flammarion, « Champs », 1998, p. 84.

d'abondance croissante qui soit aussi durable. C'est là un leurre. Dans l'esprit de ceux auxquels il est destiné, le mot de « développement » s'identifie à abondance croissante des biens matériels, sans aucune référence aux butoirs matériels auxquels cette croissance est promise à se heurter.

Une alternative à la vision d'une structure sociétale globale qui soit adaptée aux limites terrestres est le repli, volontaire ou forcé, sur une juxtaposition de structures autonomes, chacune poursuivant ses intérêts particuliers, dont les États-nations contemporains, enfermés dans leurs rivalités et dans leurs territoires, constituent l'amorce. Il y a beaucoup de raisons de penser qu'une telle évolution conduirait à un déclin irréversible de la civilisation humaine. L'analyse des formes probables de ce déclin serait en soi une entreprise intellectuelle fascinante. Ce n'est pas celle que j'ai choisi de conduire, pas plus que je ne m'intéresse à l'infinie complexité des relations militaro-économiques entre nations qui sont le domaine d'élection de la géopolitique. Leur existence — ou pour dire mieux leur omniprésence — dans le monde contemporain ne concerne mon propos que dans la mesure où elles constituent un phénomène général dont l'existence pèse sur le sort futur des hommes.

Dans le cours de cet essai, je ferai d'abord l'inventaire des obstacles auxquels la poursuite de l'objectif de survie se heurte. J'examinerai ensuite la nature des démarches qui pourraient être susceptibles de les surmonter. J'introduirai des catégories dans les échéances temporelles en utilisant le vocabulaire habituel — court, moyen et long terme —, mais avec des acceptions différentes de celles communément en usage. Le court terme sera ce qui appelle une action immédiate dont les effets s'étendent aux toutes prochaines décennies. Le moyen terme désignera l'horizon séculaire et le long terme l'horizon millénaire.

On peut former une représentation synthétique du phénomène auquel l'humanité est confrontée en le considérant comme l'entrée en interaction forte de deux systèmes complexes, le système environnemental et le système sociétal. Le premier, avec sa composante physique et sa composante biologique, est l'objet des sciences de la nature, le second celui des sciences sociales et humaines.

Il existe une asymétrie dans la relation des deux systèmes avec la connaissance que l'on peut en avoir. Le comportement du système naturel n'est pas directement affecté par cette connaissance. Il n'en va pas de même du système sociétal. La connaissance que l'on en a et celle des évolutions qu'il impose au système naturel sont porteuses d'une rétroaction par le biais des actions sociétales qu'elles peuvent susciter.

Le système naturel peut exister, et il l'a fait pendant des milliards d'années, en l'absence du système sociétal. Lorsque la société humaine est apparue, il y a quelques millions d'années, elle n'a d'abord exercé aucun effet sur le système environnemental qui a poursuivi sa lente évolution. Elle s'est adaptée aux caractères de ce système et à leur lente transformation, mais elle n'a exercé aucune action en retour. Une rétroaction a commencé à se manifester, de façon très modeste, avec l'apparition de l'agriculture au néolithique. Mais ses effets sur l'environnement ont été suffisamment lents pour que le système sociétal s'y adapte sans dommages significatifs. On est passé sans heurts de la Gaule couverte de forêts que connut César à la France agricole du Moyen Âge. C'est avec la maîtrise des sources d'énergie que les choses ont changé et que s'est développée, en quelques siècles, une interaction forte entre les deux systèmes, engendrant des transformations de l'un et de l'autre.

La simplicité de cette représentation ne doit pas dissimuler l'immense complexité du phénomène. L'un et l'autre des systèmes en interaction sont extraordinairement complexes et cela se répercute sur la complexité de leur interaction. Naturellement, il est possible de décomposer chacun de ces systèmes en sous-systèmes eux-mêmes interdépendants. C'est ainsi que procèdent les disciplines académiques. Qu'il s'agisse des sciences de la nature ou des sciences sociales, elles se subdivisent en domaines et en spécialités dont l'étendue est adaptée à la capacité de l'esprit de ceux que l'on nomme encore les savants. Cette démarche, au demeurant indispensable, comporte le risque d'occulter le caractère global du phénomène et de focaliser à l'excès l'attention sur l'émergence de ses effets les plus visibles ou les plus redoutables. Le débat passionnel sur l'évolution du climat est caractéristique de ce risque, non qu'il ne soit absolument indispensable, mais il est l'arbre qui cache la forêt.

Il n'existe évidemment aucun précédent à cette montée de l'interaction entre la société humaine et l'environnement. Le passé offre bien à notre réflexion des phénomènes qui sont de nature analogue, mais ces expériences ont toujours un caractère local. Leur transposition dans une dimension globale est une démarche pleine d'embûches. On ne peut sans risques extrapoler l'épanouissement et le déclin d'une société isolée de taille limitée comme celle de l'île de Pâques au comportement de l'humanité moderne dans sa globalité. La nature de l'individu humain demeure inchangée, mais l'étendue de ses connaissances s'est élargie. En outre et surtout, la capacité de la société humaine à produire des réactions globales a été profondément transformée par le développement des systèmes de transport de l'information et des individus. L'interaction entre la société humaine et son environnement met donc en jeu, du côté sociétal, un objet qui, par beaucoup d'aspects, est profondément nouveau.

La transition vers une société durable dans les siècles, et non pas durable au sens où le vocabulaire politique galvaude ce mot, imposera peut-être à des populations entières des niveaux de souffrance plus élevés que ceux que l'on observe déjà ici et là dans le monde, mais l'effondrement de la civilisation ne promet pas mieux à cet égard.

1

L'éthique des fins

L'action de l'individu est inséparable du dessein qu'elle traduit, de l'objectif qu'il lui donne et, par conséquent, d'une finalité. Tout au contraire, l'ensemble des composantes de l'Univers dans lequel la société est immergée, des galaxies aux formes les plus modestes de la vie, évolue sans que cette évolution soit gouvernée par aucune finalité.

Aucune théorie téléologique ne peut décrire les phénomènes naturels et aucune théorie efficace de ces phénomènes ne comporte, par conséquent, de dimension éthique. En revanche, les actions d'un individu humain étant mues par des desseins, ces desseins peuvent être soumis à un impératif éthique. Parmi les actions que l'individu peut conduire, certaines intéressent directement mon propos ; ce sont celles qui visent à susciter un comportement collectif orienté vers une certaine fin. De là vient que, malgré l'absence d'une conscience collective, et compte tenu de la source individuelle dont ils procèdent, les comportements collectifs peuvent faire l'objet d'un jugement éthique.

L'impératif de survie de l'espèce que j'ai choisi interdit que « l'existence ou l'essence de l'homme dans son intégralité [soit] mise en cause dans les paris de l'agir », comme l'écrit Hans Jonas[1]. Paraphrasant l'impératif catégorique de Kant, Jonas propose un impératif adapté aux nouveaux types de l'agir humain qui s'énonce ainsi : « Agis de façon que les effets de ton action soient compatibles avec la permanence d'une vie *authentiquement humaine* sur terre », ou encore : « Ne compromets pas les conditions pour la survie indéfinie de l'humanité sur terre », ou enfin : « Inclus dans ton choix actuel l'intégrité future de l'homme comme objet secondaire de ton vouloir. »

Cependant, la contrainte d'une vie *authentiquement humaine* a pour conséquence que l'impératif de Jonas perd son caractère d'impératif catégorique. Elle conduit en effet à apprécier à l'aune de la dégradation de la civilisation le prix dont la survie de l'homme doit être payée. Elle introduit un éventail de choix dont il est aisé de donner des exemples. Est-il acceptable que la survie de l'humanité se paie de la disparition des sociétés démocratiques qui céderaient la place à des dictatures ou à une dictature mondiale ? Ou encore une survie *authentiquement humaine* sera-t-elle accomplie si elle l'est au prix d'un retour à une société tribale ?

Non seulement il est malaisé de donner un contenu précis à la notion d'« authentiquement humain », mais surtout il est difficile de lui donner un contenu qui soit universellement acceptable, et de préciser une condition qui exprime que l'objectif de survie de l'espèce n'est pas acceptable à n'importe quel prix. À la question de savoir ce qu'il faut préserver, la réponse serait plus aisée si l'ensemble de l'humanité connaissait partout sur terre des conditions de vie comparables, notamment en ce qui concerne la satisfaction des besoins élémentaires des individus. Bien sûr, il n'en est rien, et les conditions dans lesquelles vivent cer-

---

1. H. Jonas, *Le Principe responsabilité, op. cit.*, p. 84.

tains seraient sans doute considérées par d'autres comme n'étant pas authentiquement humaines.

Je tenterai, dans ce qui suit, d'identifier des cheminements qui pourraient ouvrir à l'humanité un avenir à long terme, de mettre en évidence les obstacles qu'ils vont rencontrer, et de reconnaître les dangers auxquels ils exposent la société en regard de ceux que comporte la perpétuation des errements présents. Une telle approche du problème de la survie n'exige pas que l'on se donne un objectif ultime de structure sociétale, mais seulement que l'on cherche à définir la transformation des comportements collectifs qui donneraient à la société une perspective de pérennité et à apprécier si cette perspective conduit à une société authentiquement humaine.

Ma réflexion repose sur l'hypothèse qu'aucune puissance céleste n'intervient dans les affaires des hommes ou, en d'autres termes, que l'avenir lointain, qu'il soit désastreux ou harmonieux, dépend exclusivement de la capacité des hommes à gérer leur unique patrimoine terrestre. Dans l'hypothèse d'un Dieu qui interviendrait dans le destin humain, j'ai d'ailleurs peine à voir à quelle rationalité pourrait obéir une réflexion. Ma démarche est donc absolument areligieuse.

Naturellement, cela n'implique aucunement la négation de la transcendance. Cela ne signifie pas non plus que je fasse abstraction de l'existence des religions. Je les considère tout au contraire comme un phénomène social d'une importance extrême, mais je pars du postulat que les prières qu'elles adressent au ciel ne produisent pas le moindre effet sur cette terre. Je qualifie cet *a priori* de postulat parce qu'il est par essence indémontrable et parce qu'il est parfaitement possible de conduire par d'autres chemins une réflexion conforme à d'autres croyances. Je laisse cela à d'autres, mais l'hypothèse d'un ciel vide de dieu agissant est celle qui nous rend le plus totalement responsables de notre destinée.

La recherche des voies qui seraient propres à conduire
vers une société pérenne rencontre — dès aujourd'hui et
dans les décennies qui viennent — un problème éthique
d'une nature distincte de ceux qui s'attachent à la pérennité : comment le prix de la survie va-t-il se répartir entre
ce que vont supporter les vivants et ce que vont connaître
leurs descendants ? À supposer que soient reconnues les
contraintes auxquelles la société doit se plier pour assurer
sa pérennité et les voies qu'elle doit emprunter, il s'agit
non seulement de savoir si l'on s'achemine ainsi vers une
forme de société acceptable, mais aussi de déterminer
comment, dans l'immédiat, le prix de la survie va se diviser
entre le présent et le futur.

Il existe une différence fondamentale entre les questions
éthiques qui concernent un horizon proche et celles qui
s'attachent à la survie de l'humanité dans le long terme.
Dans le premier cas, il s'agit d'étendre aux générations qui
viennent des choix éthiques qui sont présents dans la vie
quotidienne et qui gouvernent nos rapports avec l'autre :
simple extrapolation des sentiments d'attention que
l'homme porte à sa descendance directe et des sentiments
de compassion qu'il devrait porter à ses contemporains. Le
long terme introduit un *a priori* éthique d'où sont absents
les sentiments — compassion ou égoïsme — qui s'attachent
à nos choix à horizon rapproché ; il s'agit de transformer la
structure de la société pour l'adapter aux contraintes de
pérennité imposées par un partenaire inexorable.

Le problème du partage des ressources avec les générations prochaines n'est nullement abstrait. Il se rencontre
dès aujourd'hui dans l'appréciation des mesures propres à
combattre l'altération du climat. On cherche à le traiter
dans le cadre d'un système politico-économique défini

qu'il s'agit, pour des raisons idéologiques ou simplement pragmatiques, de modifier aussi peu que possible. J'aurai l'occasion de montrer que s'introduit une difficulté fondamentale dans l'emploi des outils économiques qui ont été construits pour des usages immédiats. Cette difficulté est accrue par l'irréversibilité, ou la grande inertie, des processus de dégradation du contexte planétaire. Elle oblige à prendre en considération les effets inéluctables et irréversibles d'une carence de l'action dans le présent. En d'autres termes, la question est de savoir à quel moment il sera devenu trop tard pour agir et cela, même si les conséquences de cette inaction ne sont encore que peu ou pas perceptibles.

Dans un livre centré sur le problème de l'altération du climat, Nicholas Stern — l'auteur d'un rapport sur lequel j'aurai l'occasion de revenir — constate la réticence des économistes à introduire la dimension éthique dans leurs modèles et conclut que « compte tenu des imperfections omniprésentes du marché, des limitations de l'information, des taxes, etc., nous ne devrions pas conclure que *des comparaisons inter- et intra-générationnelles et des jugements de valeur peuvent être éludés*. Ils ne le peuvent pas[1] ».

Enfin, il existe une question dont la nature éthique est manifeste : elle concerne la société contemporaine, mais elle nous vient de l'histoire humaine et elle peut, selon la façon dont on l'appréhende, conduire à des visions différentes de l'avenir lointain. C'est la question des inégalités.

Les inégalités d'accès aux ressources, et à ce que l'on peut appeler le « bien-être », existent entre individus au sein d'une même nation et à l'échelle du monde, entre États-

---

1. Je souligne. Nicholas Stern, *The Global Deal. Climate Change and the Creation of a New Area of Progress and Prosperity*, New York, Public Affairs, 2009, p. 85.

nations. Elles établissent la distinction, d'ailleurs sommaire, entre nations développées, nations en voie de développement et nations en état d'extrême pauvreté.

Selon les contraintes que l'on se donne en telle matière, on peut aboutir à des conceptions différentes d'une société pérenne. On peut par exemple imaginer qu'elle consiste en une île plus ou moins étendue de prospérité entourée par un océan de misère. Cette vision de l'avenir lointain, qui ne diffère pourtant pas beaucoup de la situation actuelle, heurte les *a priori* éthiques contemporains et, en particulier, l'idée d'égalité entre tous les hommes, quelles que soient leur race et leur couleur. Il n'en a pas toujours été ainsi. Nous ne sommes pas si éloignés, à l'échelle de l'histoire, de la traite des Noirs et de la controverse de Valladolid où fut débattue la légitimité des traitements imposés aux Indiens. Plus proche encore de nous, l'esclavage n'a été aboli aux États-Unis qu'à la fin du XIXᵉ siècle.

Le principe d'égalité ne se transcrit que mollement dans les comportements. L'idée la plus commune est qu'il incombe aux pays sous-développés de rejoindre les pays développés, moyennant une aide modeste de ceux-ci. On s'abstient d'ailleurs d'examiner si cette généralisation est compatible avec les ressources terrestres. À moins que, sur ce dernier aspect, une progression jugée trop rapide, comme celle de la Chine, ne suscite l'inquiétude des pays nantis. Bref, on observe, au niveau des États-nations qui structurent le monde, la même disjonction que chez les individus entre le principe d'égalité et la pratique de défense des positions acquises.

Cependant, il faudra bien se donner, en telle matière, des objectifs à long terme, ne serait-ce que parce que l'on peut avoir des doutes sur la stabilité d'une société qui serait tout à la fois fortement inégalitaire et stationnaire sur le plan de la consommation des ressources.

Si j'introduis ici l'éthique des inégalités, ce n'est pas parce qu'elle trouve sa source dans la rencontre avec les limites planétaires. À la différence de l'impératif de survie conditionnelle formulé par Jonas, elle se poserait en l'absence de ces limites. Mais les inégalités, comme nous le verrons, constituent un obstacle aux démarches qui pourraient mener vers une société pérenne et, de ce fait, elles ne peuvent être ignorées.

C'est dans ce contexte, volontairement schématique, que peut s'inscrire une réflexion sur les objectifs sociétaux ultimes et sur le partage à horizon proche des efforts nécessaires pour les atteindre.

2

Les contraintes de la finitude

Une société capable de survivre indéfiniment doit se plier à un certain nombre de contraintes. Ces contraintes sont imposées par les limites de l'habitat planétaire. Elles disparaîtraient si l'homme disposait, pour y proliférer, d'un espace sans limites et de ressources inépuisables. Pendant des millénaires, il a pu croire qu'il en était ainsi et agir sans se soucier des bornes de son domaine. On peut imaginer qu'à l'échelle des prochains millénaires l'humanité trouvera des moyens, que nous ne pouvons ni préciser ni même concevoir, de contourner certaines des contraintes que lui impose la Terre. Mais, avant cela, il lui faudra survivre, ce qui suppose qu'à échéance beaucoup plus brève elle n'ait pas connu le déclin de la civilisation et n'ait pas plongé dans la barbarie. Or la société contemporaine, dont les grands traits ont été façonnés dans un univers sans limites, est très éloignée de satisfaire aux contraintes de la survie. Elle sera confrontée — elle l'est déjà — à une transition majeure, pour laquelle l'échelle de temps approprié est, non plus le millénaire, mais le siècle et même, pour certains aspects, le siècle présent.

Les deux contraintes globales qui pèsent sur l'objectif de survie sont la stagnation des besoins matériels et la préservation de la biosphère. Quelle que soit la connotation négative qui s'attache à ce terme, la stagnation des besoins matériels est, pour une société pérenne, une contrainte dont le caractère absolu s'impose tout autant que la difficulté d'y satisfaire. Toute société qui, comme la société actuelle, fonde son économie sur la croissance s'engage inévitablement, en un environnement fini, dans une ou plusieurs impasses. Sur un siècle, un taux de croissance de 1 % conduit à un triplement, sur dix siècles à une augmentation par un facteur 21 000. On peut aussi prendre le problème en sens inverse. À supposer que, sur une durée de six millénaires comme celle qui nous sépare des débuts de l'histoire, un doublement des principaux paramètres (population, consommation alimentaire et énergétique) qui définissent la société contemporaine soit soutenable — ce qui n'est nullement le cas —, il correspondrait à un taux de croissance d'un dix millième par an. À l'échelle de temps que j'ai retenue, la stagnation des besoins, et donc celle des populations, est un impératif absolu de survie.

La notion de stagnation doit cependant être précisée. Elle n'est nullement antinomique de la notion d'évolution de la société, mais elle implique une contrainte sur le mode de développement. Il faut sortir de la confusion entre développement et croissance des emprunts matériels aux ressources terrestres à laquelle conduit aujourd'hui l'approche économique des problèmes sociétaux. Il s'agit en particulier du recours au PIB qui assimile le développement à la production. On observera que de nombreuses activités humaines comme la quête de connaissances scientifiques ou la création artistique n'exercent aucune tension significative sur les ressources terrestres. Pour l'essentiel, cette tension est exercée par les besoins alimentaires, y compris les besoins d'eau potable — et, par voie de conséquence, par la démographie. Il faut y ajouter les besoins de transport liés à la production et à la distribution des ressources alimentaires et énergétiques. Par rapport à la satisfaction de ces besoins élémentaires, qui dans une société égalitaire sont proportionnels à la population, le reste est de peu de poids et, surtout, largement modulable. Il n'existe pas de modèle crédible d'une société en état « stationnaire ». S'il est relativement aisé d'en traiter les aspects matériels, il n'en va pas de même du modèle sociétal qui est nécessairement très éloigné de l'état présent de la société : celui d'une société qui ne contrôle pas sa démographie et qui pratique un équilibre dynamique fragile fondé sur la croissance matérielle et sujet à des crises.

Besoins humains et ressources terrestres

La survie de l'humanité repose fondamentalement sur l'adéquation de ses besoins aux ressources que peut lui procurer la Terre. Il est commode, pour analyser les contraintes engendrées par cette nécessaire cohérence, de mettre en regard une catégorisation des ressources et une catégorisation des besoins.

Une analyse schématique des ressources matérielles est relativement aisée. On distingue classiquement les ressources non renouvelables — c'est-à-dire les gisements de matière que les processus physiques ont rassemblés dans les couches superficielles de la planète — et les ressources renouvelables qui sont fournies par les organismes vivants, à l'exception de l'eau douce qui est distribuée à la surface des continents par un processus physique, le cycle de l'eau. À ces ressources proprement dites, il faut ajouter, parce qu'elle est de même nature, la capacité des composantes de l'environnement, au premier rang desquelles l'atmosphère, d'absorber les rejets de l'activité humaine. En d'autres termes, ce n'est pas seulement la disponibilité des ressources proprement dites qui limite l'activité de l'homme, mais aussi le fait que cette consommation ne doit pas créer, sur la planète, des conditions impropres à la vie et singulièrement à la vie humaine. L'altération du climat, la pollution des eaux douces sont les aspects les plus connus de cette limitation, mais il y en a d'autres. Je reviendrai plus loin sur les différentes significations que revêt le terme « consommation », en particulier dans le cas de l'énergie — tout à la fois consommable et renouvelable — et des gisements de matière qu'utilise le système technique.

Reste enfin la nécessité de préserver les formes de vie dont l'existence est indispensable à l'animal humain, et singulièrement à son alimentation. L'homme, à la différence des végétaux, ne peut s'alimenter directement aux ressources minérales de la Terre : il n'est pas « autotrophe ». L'intermédiaire des végétaux est le minimum indispensable à sa survie. On peut naturellement imaginer que, dans un avenir plus ou moins lointain, l'homme soit capable de créer une vie artificielle susceptible de pourvoir à ce besoin[1]. Si aucune loi physique n'interdit de l'envisager, les savoir-faire actuels ne le permettent pas. Tout au plus sait-on modifier le patrimoine génétique d'espèces existantes, mais l'extinction d'une espèce supérieure, végétale ou animale, demeure une perte irréparable.

L'analyse des besoins de l'espèce humaine est beaucoup plus complexe que celle des ressources de la Terre. La civilisation technique a ajouté aux besoins élémentaires, qui existaient aux origines de l'espèce, des besoins créés par la capacité du système technique à les satisfaire. Il existe une rétroaction évidente de la capacité de satisfaire un besoin sur l'expression de ce besoin. L'époque actuelle, marquée

---

1. Freeman J. Dyson, *La Vie dans l'Univers. Réflexions d'un physicien* (traduit de l'anglais par Stéphane Schmitt), Paris, Gallimard, 2009, pp. 13-53.

par la rapidité de l'évolution du système technique, en offre maints exemples ; ainsi la nécessité de détenir un téléphone portable ou un récepteur de télévision n'était pas ressentie il y a quelques décennies, quand ces instruments n'existaient pas. Cependant, les besoins élémentaires subsistent intacts sous les strates de besoins nouveaux tout à la fois satisfaits par le système technique et engendrés par sa capacité à les satisfaire.

Comme ceux de toute espèce supérieure, les besoins élémentaires de l'animal humain sont les aliments et l'eau potable. Ils n'ont pas changé depuis les origines de l'histoire parce que cet animal ne s'est pas transformé. S'y ajoute cependant, parce que l'espèce s'est répandue aux époques préhistoriques sous des climats auxquels son organisme n'était pas adapté, le besoin de protection thermique que lui fournissent le vêtement et l'habitat. Le besoin global qui s'attache à ces catégories est en gros proportionnel à la population ou, en tout cas, devrait l'être si les ressources alimentaires étaient également réparties, ce qui est loin d'être le cas.

Par rapport à ces besoins élémentaires, les besoins secondaires engendrés par le développement de la civilisation technique forment un ensemble complexe. On peut y distinguer les besoins en énergie mécanique, en énergie thermique, les besoins en matière et, de façon croissante, les besoins en information et en communication.

La satisfaction de ces besoins repose aujourd'hui sur un ensemble de grands systèmes interdépendants qui se déploient à l'échelle mondiale. Ces systèmes, système de transport, système de production et de distribution de l'énergie, système alimentaire, sont les outils essentiels de prélèvement sur les ressources primaires. Ils s'interposent entre ces ressources et la satisfaction des besoins individuels. La plupart des familles contemporaines se procurent l'alimentation et l'énergie dont elles ont besoin, non plus en exploitant leur environnement proche, mais en recourant à des fournisseurs qui exploitent des ressources lointaines. En d'autres termes, l'autarcie locale qui était la règle au cours des siècles précédents s'est transformée, au cours du siècle dernier, en une autarcie planétaire qui se heurte aujourd'hui aux limites infranchissables de la Terre.

Ces particularités du substrat technique sur lequel repose la civilisation contemporaine appellent quelques observations.

D'une part, les grands systèmes techniques ne sont pas indépendants les uns des autres. Il peut être commode de considérer séparément, par exemple, le système de transport — pétroliers, gazoducs et oléoducs — et le système de production et de distribution de l'énergie électrique, mais ils ne fonctionnent pas l'un sans l'autre. Aussi l'ensemble des systèmes forme-t-il lui-même un système de systèmes qui opère à l'échelle de la planète. C'est le sens le plus profond du mot « mondialisation ». Il subsiste bien, ici et là, à l'échelle nationale ou à l'échelle locale, des vestiges d'autarcie. Mais pour l'essentiel, les grands systèmes qui forment le substrat technique de la civilisation fonctionnent à l'échelle du monde.

D'autre part, il faut relever que le niveau de population de la planète et le niveau des besoins qui lui correspond ne seraient plus compatibles avec un repli sur des structures autonomes de petite échelle, car la productivité du système global est supérieure à celle d'une juxtaposition de petits systèmes autonomes. En matière de besoins, et même de besoins élémentaires, le mode de vie de la population mondiale est indissociable de l'état du système technique; encore la façon dont ce système est mis en œuvre n'assure-t-elle que de façon très imparfaite la satisfaction de ces besoins élémentaires dans de nombreuses régions du globe.

Il faut enfin être conscient de la fragilité des grands systèmes. Leur bon fonctionnement repose sur un minimum d'ordre social et toute atteinte à l'un d'eux tend à répercuter ses effets sur les autres et à les propager rapidement à des distances géographiques quelconques. Au milieu du siècle dernier, au cours de la Seconde Guerre mondiale, on a pu voir, dans un pays comme la France, une régression vers une économie locale. Ceux qui ont connu cette époque se souviennent que, dans les campagnes, on a fait renaître des savoir-faire anciens, encore présents dans les mémoires, mais qui n'étaient plus pratiqués ; l'artisan menuisier s'est mis à construire des rouets et les femmes à filer la laine ou à fabriquer du savon avec le suif des moutons. On a cultivé sur place tous les légumes nécessaires à l'alimentation. Dans les grandes villes, plus éloignées de l'autarcie, la vie fut beaucoup plus dure et la famine beaucoup plus proche. Il n'est pas sûr qu'un tel repliement serait encore possible. La population des campagnes, gardienne du souvenir des savoir-faire anciens, s'est amenuisée et celle qui a échappé à l'exode rural met en œuvre des techniques modernes et utilise des intrants produits par l'industrie chimique. Les savoir-faire se sont perdus ou n'existent plus que dans les écomusées. Dans le même temps, la vulnérabilité à des dysfonctionnements lointains s'est considérablement accrue et fait souvent sentir ses effets, sans même qu'intervienne ce dysfonctionnement majeur qu'est la guerre.

Reste le rêve d'une évolution technique qui résoudrait tous les problèmes du futur. C'est là une perspective importante car la structure du système économique est profondément adaptée à l'état du système technique qui

forme le substrat évolutif sur lequel s'organisent les diverses
formes de l'activité humaine.

Les limites de la technique

Il existe deux lignes de pensée assez largement répan-
dues qui permettent, ou plutôt qui ont pour objet, de nier
la gravité du problème de survie qu'affronte la société
humaine. La première s'en remet à l'évolution technique pour
résoudre les problèmes qu'elle a créés, la seconde considère que les lois du marché, plus généralement la vulgate
économique néo-libérale, sont des outils suffisants pour les
affronter. J'aurai l'occasion de revenir plus longuement sur
ce second aspect des choses. L'idée est que, pour faire face
à une situation entièrement nouvelle, il suffira d'apporter
quelques ajustements aux fondements de la prospérité du
monde occidental; c'est pourtant là une idée qui ne peut
guère être considérée comme allant de soi. Notre relation
avec un objet cosmique de dimension limitée et avec lequel
toute notion de concurrence est dépourvue de sens s'ac-
commoderait ainsi, sans révision fondamentale, d'un système qui fonde son efficacité sur la compétition et qui se
donne comme objectif la croissance. On peut concevoir à
cet égard quelque scepticisme.

C'est sur l'expansion immense qu'a connue le système
technique depuis deux siècles que repose la croyance que
l'on est en droit de tout en espérer. Cette espérance se
fonde sur l'imprévisibilité de ce que la technique pourra
accomplir; mais ce qui est moins communément perçu et
qui s'ajoute à l'imprévisibilité, c'est la connaissance de ce
qui lui est interdit. Cette connaissance repose sur celle des
lois fondamentales qui régissent la nature et qui dressent

un certain nombre de barrières infranchissables. « La nature ne peut être bernée », disait Richard Feynman. La technique est assujettie à ses lois. C'est ainsi que l'on ne peut pas créer de matière — ou plus précisément d'éléments —, du moins en quantités comparables à ce que l'on emprunte à l'écorce terrestre. On ne peut pas non plus créer d'énergie ; on en est réduit, à la surface de cette planète, à utiliser celle qui nous vient de l'univers extérieur ou à consommer celle que la vie a accumulée dans l'écorce terrestre. On ne peut pas dupliquer l'éventail des fréquences radioélectriques dont doivent s'accommoder les systèmes de télécommunication. Ce spectre de fréquences est une ressource limitée et unique dont l'exploitation a imposé depuis longtemps une coopération internationale. On ne peut pas davantage changer les lois de la mécanique spatiale auxquelles sont assujettis les satellites et il n'y aura jamais qu'une seule orbite géo-stationnaire pour y placer les satellites de télécommunications. Pour séparer les éléments chimiques dont le système technique a besoin, on exploite les gisements de minerai où tel ou tel élément se trouve en abondance, mais lorsque ces gisements seront épuisés il faudra inévitablement exploiter des ressources plus diffuses. Les lois flexibles du marché, et la spéculation, fixent temporairement le prix des matières premières, mais les lois inflexibles de la thermodynamique déterminent l'énergie qui sera nécessaire pour exploiter une source pauvre. Bref, il existe un ensemble de lois scientifiques qui contraignent le système technique et qui forment un cadre intangible et intemporel dans lequel se déroule le processus contingent de l'évolution technique. L'une des ressources de la science-fiction consiste à s'affranchir de ce cadre, mais elle décrit alors des futurs qui ne sont pas des futurs possibles. Ceux qui, souvent forts de leur ignorance, expriment que la technique viendra à bout de tous les problèmes de pérennité de l'espèce humaine empruntent une démarche de même nature.

Il subsiste cependant des domaines largement ouverts à l'élargissement des connaissances scientifiques et des savoir-faire techniques.

C'est d'abord le domaine des mécanismes profonds de la vie dont le défrichement n'a vraiment commencé qu'avec la découverte de la structure de l'ADN en 1953. Il est aisé d'imaginer des avancées majeures dont la faisabilité ne se heurte à aucun interdit des lois physiques. Certaines sont déjà explorées comme le clonage, la reproduction à l'identique d'individus vivants. D'autres appartiennent à une sorte de terre de promission aux contours imprécis : la transformation du patrimoine génétique des espèces, la création d'organismes génétiquement modifiés dont les premières réalisations sont l'objet des polémiques que l'on sait et, à horizon plus lointain et incertain, la synthèse de la vie sous des formes nouvelles.

Un deuxième domaine est celui dit des « nanosciences » et des « nanotechnologies » qui consistent à construire, par assemblage d'atomes ou de molécules, des édifices de dimension nanométrique (10^{-9} mètre) et à les manipuler. Il s'agit de créer des structures technologiques de dimensions voisines de celles sur lesquelles la vie repose et de recourir pour cela, tout comme la vie, à des phénomènes d'auto-organisation.

Enfin, un troisième domaine est celui des technologies de l'information et des télécommunications associées aux sciences cognitives. Là aussi, la descente vers les dimensions moléculaires ouvre des perspectives qui ont déjà émergé dans la croissance énorme de la puissance des ordinateurs et des capacités de stockage de l'information. Un vaste domaine d'expansion fondé sur des propriétés quantiques de la matière reste à explorer et ouvrira peut-être un champ nouveau, potentiellement immense.

Ces trois domaines ont en commun une progression de la technique vers les dimensions atomiques et possèdent, de ce fait, des relations d'interdépendance. Aussi parle-t-on, à leur endroit, de « convergence NBIC » (Nanotechnologie, Biotechnologies, Informatique et Sciences cognitives)[1]. Ce n'est rien d'autre que l'expression, au niveau des techniques moléculaires, du phénomène général d'interdépendance des diverses branches de la technique que Bertrand Gille a identifié en introduisant la notion de « système technique ».

Le progrès des savoir-faire, dans le domaine ainsi ouvert, ne se heurte dans l'immédiat à aucune loi physique. On peut donc en envisager une vaste expansion et les futurologues ne manquent pas de s'y employer, voire de fonder sur elle l'avenir de l'humanité. Il convient cependant d'examiner de façon critique la portée des apports que l'on peut attendre de ces nouvelles maîtrises dans leur relation avec les besoins primaires des individus. De ce point de vue, les technologies de l'information n'ont évidemment rien à offrir. Elles sont un puissant facteur d'organisation de la société, un puissant outil au service de l'avancée des connaissances dans toutes les branches du savoir, mais leur rapport à la production de céréales est au mieux indirect. L'homme ne se nourrit ni d'argent ni de bits.

Pour que les nanotechnologies puissent produire un effet massif, il faudrait que soient développés des nanorobots autoreproducteurs — concrétisations du rêve de Richard Feynman — qui appartiennent à un avenir lointain et très incertain. Et je n'aborde pas ici les craintes, pour le moins

---

1. Jean-Pierre Dupuy, « Quand les technologies convergeront », *Futuribles*, n° 300, septembre 2004, pp. 5-18.

prématurées, que suscite la perspective de cette avancée technique. Restent les biotechnologies, dont la contribution à l'amélioration des rendements agricoles peut intervenir dans la maîtrise des pénuries alimentaires. On peut aussi imaginer qu'appliquées à l'homme elles puissent transformer son comportement et ses performances. C'est la perspective que cultive la nébuleuse post-humaniste[1]. Mais outre que les savoir-faire correspondants appartiennent à un futur lointain, outre qu'ils posent un problème éthique majeur en cela qu'ils peuvent être interprétés comme conduisant à une disparition de l'*homo sapiens*, on ne voit guère comment leurs effets pourraient être appliqués à l'ensemble des masses humaines. On peut naturellement imaginer qu'ils soient réservés à une « élite » qui pourrait alors, avec quelque vraisemblance et sans uniformes noirs, se dire une race supérieure.

Au total, devant la montée des pénuries matérielles de toutes sortes qui menacent la satisfaction des besoins primaires, il semble improbable que la « convergence NBIC » puisse apporter des secours autres que très indirects.

Dimensions matérielles et sociétales de la survie

La société contemporaine est profondément inadaptée au problème de sa survie dans le long terme. L'origine de son inadaptation est limpide : elle s'est développée dans un environnement sans limites sensibles, accomplissant les commandements de la Genèse : « Soyez féconds, multipliez, emplissez la terre et soumettez-la. » Cette tâche est aujourd'hui plus qu'accomplie. À échéance proche,

---

1. Dominique Lecourt, *Humain, posthumain. La technique et la vie*, Paris, Presses universitaires de France, 2003.

une transition s'imposera, *volens nolens*, par l'épuisement des ressources qui assurent ce que l'on nomme d'un terme mal défini : la « croissance ». Il faudra donc réformer les pratiques sociétales, voire réviser, sinon les commandements religieux, du moins leur interprétation qui, on le sait, est flexible.

Que cette réforme puisse se réduire à un simple ajustement des pratiques actuelles est un *a priori* qui ne peut être retenu. Dans beaucoup de leurs aspects, ces pratiques ont d'ailleurs varié. L'histoire la plus récente offre à notre réflexion maints exemples de changements majeurs qui ont eu des effets plus ou moins heureux. Naturellement, ces changements sont sans rapport avec les contraintes de la finitude. Ils trouvent leur source essentielle dans deux éléments inséparables, l'évolution du système technique et la diffusion de l'éducation, le niveau de connaissance acquis par les populations qui mettent ce système en œuvre. Ils sont à l'occasion déclenchés par des réflexions philosophiques dont la source peut être identifiée. Ce fut le cas du système communiste qui conduisit, avec le stalinisme, à la dérive désastreuse que l'on sait. Ils ont en commun d'avoir été considérés, à chaque époque et dans chaque lieu, comme des stades ultimes de l'évolution sociétale. Il en va ainsi de la monarchie absolue, produit d'une évolution de plusieurs siècles à partir de la société féodale, du nazisme qui construisait pour mille ans et du système soviétique russe, effondré dans la Perestroïka. La croyance selon laquelle le capitalisme libéral et l'économie de marché constituent l'étape finale de l'évolution socio-économique n'est pas d'une nature différente ; elle n'est rien moins que fondée. Il semble beaucoup plus vraisemblable qu'ils sont promis à une transformation profonde, voire radicale, du fait du changement qui va affecter le contexte dans lequel ils se sont développés. Le capitalisme n'a guère que deux siècles d'existence. Pourquoi le parer des attributs de l'éternité ?

Tout l'enjeu est de savoir quelle forme revêtira cette transition, si elle peut constituer une évolution raisonnablement progressive et harmonieuse vers un nouvel ordre mondial ou si elle va détruire les structures démocratiques, désagréger la société mondiale et instaurer une régression vers le chaos et les dictatures.

La crise économico-financière qui a frappé le monde en 2007 permet de mesurer à quel point nous sommes éloignés, non pas même d'une solution, mais d'une simple prise de conscience du problème. Cette crise, quelle que soit son ampleur, n'est pas engendrée par la finitude des ressources matérielles. Elle est l'effet d'un dérèglement majeur du système financier mondial que l'on jugeait capable de s'autoréguler en l'absence de toute contrainte. C'était là, pour l'administration Bush et pour les milieux ultralibéraux, plus qu'une doctrine, un acte de foi qui s'est avéré aussi pernicieux que certains dogmes religieux. On pouvait espérer que le gigantesque désordre ainsi produit serait l'occasion d'entreprendre une réflexion globale sur la conduite de l'économie planétaire. Car, au-delà de la crise de 2007, produit d'un système économico-financier vicié, on voit se profiler à l'horizon des crises provoquées par l'épuisement des ressources. On doit donc se demander comment un système qui, en l'absence de pressions extérieures, manifeste spontanément son instabilité sera capable de leur résister. Il est frappant de voir que l'urgence, pour la gouvernance politique mondiale, soit de rétablir le cours de la « croissance » en rapetassant le système financier, moyennant une dose accrue de régulation et le sacrifice — que beaucoup espèrent temporaire — de quelques dogmes sur le rôle de l'État. Mais la pression de la finitude terrestre ne fait l'objet que de quelques génuflexions marginales réservées pour l'essentiel à l'altération du climat, seule dimension qui ait atteint une présence médiatique substantielle. On peut prétendre que l'urgence commande et qu'il faut éviter un collapsus économique mondial, mais il reste que l'occasion d'un élargissement aux problèmes du long terme n'a guère été saisie, faute, sans doute, que les responsables politiques aient conscience que ce long terme est aussi une urgence.

Le problème de stabilité de la société humaine est un problème global. Cependant, pour conduire une réflexion, il est commode, comme je l'ai déjà dit, d'y distinguer les deux composantes environnementale et sociétale. Cela ne doit pas occulter le fait que ces composantes sont inter-dépendantes et que l'ensemble terre-humanité forme un système dont il faudra tenter une synthèse globale. Mais l'analyse doit précéder cette synthèse.

Une première dimension rassemble les contraintes qui s'imposent à l'espèce humaine de l'extérieur : le contexte planétaire dans lequel elle se développe et sur lequel elle peut agir, mais dans certaines limites imposées par les lois de la nature. L'homme, devenu un « animal géophysique », s'est doté de la capacité de modifier, c'est-à-dire d'améliorer ou, le cas échéant, de détruire la base matérielle sur laquelle son existence repose. C'est d'abord le maintien de cette base dans un état compatible avec une société en équilibre qu'il convient d'examiner.

En regard de cette dimension matérielle, il faut placer la dimension sociétale, les composantes qui décrivent l'état et les comportements de la société contemporaine. Car ce sont ces composantes qui l'ont engagée dans l'impasse où elle se trouve et que l'on doit réformer pour trouver les voies de la pérennité. Savoir s'il s'agit là d'une perspective réaliste ou utopique importe peu car c'est la seule voie qui s'offre.

La nature de ce qu'il faut entreprendre s'exprime en quelques mots : transformer les comportements collectifs de l'espèce, les structures à travers lesquelles ils agissent — gouvernance, système économico-financier, système de production, forces armées et le substrat qui leur est commun, le système technique. La question reste ouverte de savoir quelle sera la source de la volonté nécessaire pour engager cette transformation et sous quelle forme elle pourra se manifester ou pourra être suscitée. Sur le devenir du système technique contemporain, des hypothèses restrictives s'imposent. Il n'est pas envisageable, ni évidemment souhaitable — du moins je me donnerai cette hypothèse — que l'espèce humaine puisse, par une régression massive du système technique, retourner à la condition animale, voire à « l'état de nature ». Ce serait là l'équivalent, sinon d'une disparition de l'animal humain, du moins d'une disparition de l'humanité. L'évolution du système technique vers une pratique qui soit tout à la fois soutenable en regard des ressources terrestres et compatible avec le maintien d'une société humaine organisée constitue donc une contrainte que je me donne. C'est par cette dimension du problème général que j'engagerai la réflexion.

3
Primauté de la technique

La technique est le socle sur lequel repose la civilisation. Toutes les activités humaines s'appuient sur elle, et pas seulement celles que l'on a l'habitude de qualifier de techniques ou, par goût d'anglicisme, de technologiques. Sans elle l'humanité ne peut ni se nourrir, ni s'abriter, ni guerroyer, ne serait-ce qu'à des niveaux modestes en comparaison de ceux que l'on pratique aujourd'hui. Mais aussi, sans le luthier, pas de violoniste. Sans la disponibilité du système technique, l'expression artistique, les activités ludiques sont privées de leurs outils, l'économie et les sciences sociales de leur objet. Et même, pour que le stylite puisse méditer sur sa colonne, il a bien fallu que des artisans la taillent et l'érigent, cette colonne. Ce n'est pas que les activités extrêmement diverses dont s'enrichit l'existence des hommes ne soient pas fortes de leur identité propre, mais elles ne sont pas autonomes ; elles sont enracinées dans un substrat technique. Et il en va ainsi depuis les commencements du monde, lorsque les premiers outils ont permis, étape initiale d'une longue marche, l'émergence de l'agriculture en Mésopotamie et celle de l'art dans les grottes à figures.

J'utilise le terme « technique » pour identifier une activité dont l'objet est de donner forme à la matière en recourant pour cela à diverses formes d'énergie. Cette définition, qui peut sembler sommaire, ne laisse pourtant rien échapper d'essentiel[1]. Il est difficile d'en concevoir une extension, à moins naturellement que, par un abus de langage semblable à celui dont usent les disciplines littéraires pour évoquer la qualité « scientifique » de leurs travaux, on n'en vienne à parler de technique — ou plutôt de technologie — sociale.

Pourquoi le caractère premier des savoir-faire dans l'édification de la civilisation n'est-il presque jamais affirmé? On peut voir dans ce silence l'effet du mépris où ont été tenues, tout au long de l'histoire, les activités qui, d'une manière ou d'une autre, s'exercent sur la matière pour la rendre propre à servir un dessein. Ainsi Platon écrivait : « L'état d'artisan, d'où vient, dis-moi, qu'il a quelque chose de dégradant[2]? » et Aristote : « Doit-on aussi admettre comme citoyens les travailleurs[3]? » Resterait à expliquer les causes profondes de ce mépris présent à toutes les époques et qui fait que l'on s'ennoblissait en maniant des armes pour tuer mais que l'on dérogeait en les fabriquant. La supériorité qui s'attache à l'exercice d'activités purement intellectuelles sur les activités des tâcherons qui touchent à la matière est encore sensible dans la société contemporaine. Faut-il en voir un reflet dans la condescendance avec laquelle l'Académie française considère sa voisine des sciences, trop proche des tâches vulgaires?

Mais, de nos jours, un autre élément intervient peut-être. Les sciences et les techniques, ensemble imposant, sont devenues passablement hermétiques et ne se laissent

1. A. Lebeau, *L'Engrenage de la technique, op. cit.*, p. 22.
2. Platon, *République*, IX, 590c, trad. É. Chambry, Paris, Les Belles Lettres, 1964.
3. Aristote, *Politique*, III, 1277b, trad. J. Aubonnet, Paris, Les Belles Lettres, 1971.

pas aisément approcher par ceux qui ne les ont pas fréquentées dès leur jeunesse. D'où le désir trop fréquent de les tenir à l'extérieur du champ des réflexions sociétales, de les considérer, ainsi que l'ont souvent fait les économistes, comme des sources de données exogènes dans les arcanes desquelles il est prudent de ne pas s'aventurer. La rencontre avec la finitude fait éclater ce cadre.

Le système technique

Le terme de « système technique » que j'emprunte à Bertrand Gille traduit cette observation fondamentale qu'à chaque époque les savoir-faire que maîtrise l'homme forment un ensemble cohérent parce qu'ils sont liés entre eux par un réseau d'interactions[1]. Dans ces interactions qui gouvernent le comportement du système, la notion familière de cause et d'effet, à laquelle l'esprit humain est spontanément porté à recourir, perd toute pertinence. On observe cependant que cette notion est si profondément enracinée dans l'esprit qu'on y recourt fréquemment pour décrire de façon imagée le comportement d'un système complexe. C'est ainsi que les présentateurs des chaînes de télévision évoquent la capacité de tel anticyclone à repousser et désagréger telle dépression, ce qui, évidemment, n'a pas de sens.

Le système technique évolue dans le temps de façon à peu près imprévisible. En tout cas, les tendances majeures que, rétrospectivement, on peut discerner dans cette évolution ne sont pas déterminées *a priori* par une volonté centrale. On les constate, mais on ne les prédit pas. C'est ainsi

---

1. Bertrand Gille, *Histoire des techniques. Prolégomènes,* Paris, Gallimard, « Encyclopédie de la Pléiade », 1978, p. 18.

que les efforts des futurologues du siècle dernier n'ont pas
su discerner l'émergence prochaine des techniques infor-
matiques, encore moins leur explosion et la rupture engendrée dans le fonctionnement de la société. *A contrario*,
d'autres événements, comme la technique spatiale, ont été
attendus depuis des siècles, mais n'ont pu se matérialiser
que lorsque les éléments indispensables, venus de divers
secteurs du système technique, ont été disponibles.
D'autres enfin, dont les fondements dans la connaissance
scientifique sont maîtrisés, se font longuement attendre,
comme la production d'énergie par fusion des atomes.

Les mécanismes de cette imprévisibilité sont bien
connus : ils résident dans le fait que l'évolution technique
repose pour une part sur des rencontres fortuites entre
savoir-faire d'où naissent de nouveaux actes techniques et,
pour une autre, sur les progrès de la connaissance scientifique — connaissance de la matière et du vivant —, eux-
mêmes alimentés par la perfection croissante des outils que
la technique rend disponibles et marqués par d'imprévisibles ruptures, comme la découverte, au début du siècle
dernier, du comportement quantique de la matière. L'histoire du laser illustre parfaitement le jeu de ces deux mécanismes : d'abord la découverte de l'effet laser, avancée
scientifique fondamentale couronnée d'un prix Nobel,
puis, après un temps de latence, la diffusion progressive
des usages du laser dans d'innombrables secteurs du système technique.

Au fil des temps, l'importance relative des deux mécanismes de l'évolution technique s'est modifiée. Le second
n'est apparu qu'au cours du XIXe siècle alors que le premier
est à l'œuvre depuis les origines. Comme ils ont l'un et
l'autre le caractère d'une rétroaction, ils rendent compte
non seulement de l'évolution du système technique, mais
aussi de l'accélération de cette évolution. Ainsi l'évolution

technique s'engendre-t-elle elle-même sous l'effet d'un nombre immense d'actes dont chacun est de portée limitée, et qui n'ont pas pour objectif un effet d'ensemble, mais qui, joints à l'imprévisibilité intrinsèque des avancées de la science, aboutissent à une imprévisibilité globale.

L'imprévisibilité de l'évolution ne signifie pas que l'on ne sache rien dire des états futurs. L'image absurde de l'« effet papillon » a quelque peu empoisonné les esprits. Le battement d'aile d'un papillon dans la forêt amazonienne pourrait être la cause, à quelques jours ou quelques semaines de là, d'une tornade dans le Middle West. Or cette conception repose sur une hypothèse cachée, selon laquelle l'état initial du fluide atmosphérique détermine son comportement ultérieur et que seule l'imprécision dans la connaissance de cet état initial limite la possibilité de prévoir les états futurs. Une telle hypothèse ne possède aucun fondement. À supposer que l'on puisse, par une expérience de pensée, disposer de deux états initiaux rigoureusement identiques d'un système physique complexe comme l'atmosphère terrestre (et à supposer que l'incertitude quantique l'autorise), l'hypothèse que les états futurs de ces deux systèmes divergeront est la mieux fondée. Cela revient à dire que l'atmosphère perd la mémoire de ses états antérieurs et elle le fait d'ailleurs d'autant plus vite que la dimension des détails — le battement d'aile du papillon — est plus faible. Mais cela ne signifie aucunement que l'on ne sache rien dire des états futurs. Le prétendre révèle une ignorance profonde, et même un manque de bon sens, chez ceux qui l'ont fait pour nier la possibilité de prévoir le climat[1]. C'est ainsi que dans le cas de l'atmosphère terrestre les variations diurnes, saisonnières et même

---

1. Claude Allègre, *Ma vérité sur la planète*, Paris, Plon et Fayard, 2007, p. 89.

à l'échelle des millénaires la succession des époques glaciaires peuvent être prévues. Cela vient de ce que ces particularités du système atmosphérique empruntent leur caractère régulier à une mémoire de longue durée, extérieure à l'atmosphère. La mécanique céleste les impose, tout comme elle rend prévisibles les marées qui superposent leurs effets à des mouvements beaucoup plus imprévisibles du fluide océanique. De la même façon, l'enrichissement de l'air en dioxyde de carbone est une altération imposée à l'atmosphère dont elle conservera longuement la mémoire.

Nous rencontrons ici la notion de mémoire, mémoire qui peut être propre au système ou qui peut lui être imposée de l'extérieur.

Mémoire et volonté humaines

Dans le devenir du système technique intervient une forme particulière de mémoire, la mémoire humaine qui, alliée à l'intention qui détermine les actions individuelles, exerce une influence sur l'évolution du système. Sans ces capacités humaines de mémoriser et de projeter sur l'avenir les effets d'un acte, le système technique en resterait aux balbutiements et à la stagnation que l'on observe chez les animaux.

Une question centrale est de savoir comment le cerveau humain, puissamment aidé dans cette tâche par les artefacts que l'on qualifie de mémoires exosomatiques — de l'écriture à l'informatique —, peut exercer une influence globale sur l'évolution du système technique. Constatons, pour commencer, que vis-à-vis de cette évolution les hommes ont été, dans leur immense majorité, des spectateurs. Cela ne signifie pas que l'on ne puisse, par des mesures volontaristes, imposer des inflexions à l'évolution du système technique, mais les grandes évolutions qu'il a connues dans le passé ne relèvent pas de ce mécanisme. Peut-on changer cet état de choses? On peut admettre que les effets d'une volonté humaine seront d'autant plus importants qu'elle s'exercera de façon globale, à l'échelle de la planète. Dans un monde divisé en États-nations, une telle conjoncture n'existe encore qu'à l'état de balbutiements.

Ce qui s'en rapproche le plus dans un passé récent, ce sont les effets d'un conflit majeur entre grandes puissances comme la Seconde Guerre mondiale ou la guerre froide. Certains domaines de la technique ont alors connu des avancées très rapides sous l'effet de décisions étatiques prises pour répondre à une menace extérieure. Il en va ainsi, par exemple, du développement des techniques nucléaires — bombe et réacteur — ou des techniques balistiques. On notera cependant que la détermination des États-nations à se doter des outils de leur supériorité dans un conflit n'a que peu ou pas d'influence sur l'état des connaissances scientifiques fondamentales. Sans la découverte de la fission nucléaire en 1938 et la révélation, par la communauté scientifique, d'une nouvelle et redoutable source d'énergie, le projet Manhattan n'aurait pu exister. Car la recherche fondamentale, pour paraphraser Gaston Berger, se cultive plus qu'elle ne se dirige, et ses avancées, n'en déplaise aux hommes politiques, ne se décrètent pas.

En outre, l'action directe de la puissance publique sur le système technique ne peut conduire au succès que si elle se greffe sur un état de ce système capable de répondre pour l'essentiel à ce qu'elle exige. À supposer que la fission nucléaire ait été découverte quelques années avant la Première Guerre mondiale, un projet Manhattan, à cette époque, n'aurait pu disposer des ressources techniques indispensables.

Mais hors les circonstances dans lesquelles la volonté étatique devient dominante et où s'instaure, y compris dans les démocraties libérales, une « économie de guerre », le marché est la seule force qui agisse de l'extérieur sur l'évolution technique. À la différence de la volonté étatique, il ne procède, par nature, d'aucun dessein. Il est censé répondre à la demande et ne développer que des artefacts pour lesquels existe, ou peut être anticipée dans un avenir très proche, une demande « rentable ». Ce que l'on peut exprimer d'une autre façon en disant qu'une technique « ne peut se développer que si la valeur que lui attribue la société (compte tenu des autres options disponibles) est supérieure à son coût[1] ». Cependant, c'est là une conception qui néglige, dans son expression, non seulement l'effet de la disponibilité de l'offre sur la demande, mais surtout la capacité de la technique à évoluer par l'effet de mécanismes internes. La relation entre l'offre et la demande n'a de signification qu'instantanée ou, en d'autres termes, pour un état figé du système technique. Pour une offre que le système technique est incapable de fournir, aucune demande ne s'exprime, sinon sous forme de rêves comme le désir de voler. L'analyse de ces rêves est importante pour discerner quelles demandes futures pourraient émerger et entrer dans le champ du marché, mais la demande ne se matérialise qu'avec les moyens techniques d'y satisfaire.

Encore faudrait-il distinguer entre demande et besoin. La technique engendre des demandes qui, pour être fortes et solvables, ne correspondent à aucun besoin réel. La base incompressible des besoins est celle que détermine la satisfaction des exigences de l'organisme humain et qui, pour

---

1. Jacques Lesourne, *Les Crises du XXIᵉ siècle*, Paris, Odile Jacob, 2009.

de vastes populations, n'est pas « solvable ». Dans ce qui vient au-delà s'établit une transition progressive entre le besoin du nécessaire et la demande du superflu.

Il est plus réaliste de considérer l'ensemble offre-demande comme un système dont les deux composantes sont en interaction. Il reste que les évolutions que le marché impose à la technique ou reçoit d'elle sont, par nature, largement imprévisibles, à la différence des inflexions, le cas échéant majeures, imprimées par une volonté politique centrale. Naturellement, cette dernière est sujette à errer, mais le marché ne saurait se tromper car il ne sait pas où il va.

Il serait intéressant d'analyser l'importance relative, dans le système technique contemporain, des branches qui sont issues d'une volonté publique, au premier rang desquelles le développement d'armes, et de celles qui ont émané spontanément des effets du couple offre-demande. Ou, en d'autres termes, de mettre en évidence les effets des interventions étatiques, lorsqu'ils ont été repris par les forces du marché. Cette réflexion pourrait s'alimenter de l'observation rétrospective des conséquences des interventions publiques dans des domaines tels que l'aviation, l'énergie nucléaire, la technique spatiale, l'informatique, les télécommunications, etc., et s'abstraire du débat idéologique sur les effets, pervers selon les uns, uniformément bénéfiques selon les autres, des ingérences de l'État dans la technique.

L'appréciation de la pertinence de l'intervention publique s'introduit en effet de façon naturelle dans la confrontation de l'humanité aux limites de la planète qui présente des analogies — et aussi quelques différences — avec l'état de guerre.

L'analogie la plus marquée est que cette confrontation va placer progressivement l'ensemble du système tech-

nique, et, par voie de conséquence, le système politico-
économique, sous des contraintes globales. Les différences
sont évidemment qu'il n'y a pas d'ennemi que l'on puisse
vaincre ou avec lequel on puisse traiter, que les notions de
victoire ou de défaite sont absentes, qu'à l'espoir de voir
finir l'état de guerre se substitue la certitude de la permanence de cet état et que c'est l'ensemble de l'humanité, et
non telle ou telle nation, qui sera confronté à son destin.

4

Énergie et matière

Toi dont l'œil clair connaît les profonds arsenaux
Où dort enseveli le peuple des métaux,
Ô Satan, prends pitié de ma longue misère !

BAUDELAIRE, *Les Fleurs du mal.*

Le système technique agit sur la matière et utilise l'énergie, mais il ne peut créer ni matière ni énergie. Ce sont là des contraintes fondamentales dont la signification mérite d'être précisée.

Les éléments chimiques qu'emploie la technique sont ceux qui sont présents, en abondance très variable, dans l'écorce terrestre, dans les masses océaniques et dans l'atmosphère. Leurs innombrables combinaisons constituent les matériaux dont use le système technique, soit qu'il les élabore comme le béton, ou qu'il les emprunte directement au milieu naturel comme la pierre de taille. Il est certes possible de créer des éléments par transmutation à partir d'autres, y compris des éléments qui n'existent pas à l'état naturel dans le milieu terrestre : isotopes radioactifs à courte durée de vie ou éléments transuraniens, mais cela se fait au prix d'une énorme dépense d'énergie et ne porte que sur des quantités infimes par rapport à celles qui sont empruntées à la Terre. La seule exception est la création, en quantités significatives, de plutonium dans les réacteurs nucléaires et, accessoirement, la création de déchets radioactifs. Mis à part cette exception, dont les effets ne concernent que le domaine de l'énergie, la pierre philosophale n'existera jamais. C'est là une parmi d'autres des contraintes que nous imposent les lois de la nature.

On peut aussi imaginer d'aller chercher, dans les corps célestes les plus voisins, les ressources qui feraient défaut sur la Terre. C'est ainsi que l'on évoque la possibilité d'exploiter, à des fins de production d'énergie par fusion nucléaire, l'hélium 3 qui s'est accumulé dans les couches superficielles de la Lune sous l'effet du vent solaire. Restera à examiner si le bilan économique et énergétique de cette quête — qui fait fantasmer les agences spatiales — serait viable.

La matière terrestre

L'espèce humaine s'est développée à la surface d'une sphère de matière dont seules les couches les plus superficielles — environ un millième du rayon de la sphère — nous sont accessibles. Elles reposent sur une fournaise interne et sont entourées par le vide de l'espace. Cette couche exploitable est fortement hétérogène et le système technique est profondément adapté à l'exploitation de cette hétérogénéité. À grande échelle, elle se traduit d'abord par la séparation des continents, de l'atmosphère et des océans : d'une part, la surface solide et le milieu gazeux auxquels l'espèce humaine est adaptée et, d'autre part, la masse liquide sur laquelle elle circule, qui lui fournit une ressource alimentaire, et d'où part le cycle de l'eau.

Outre ces hétérogénéités majeures, il en existe d'autres, de dimension plus réduite, que l'on désigne du terme de gisements et que le système technique « exploite ». À l'échelle de la planète, ces gisements sont des zones de dimensions modestes. Les processus géologiques ou, selon les cas, la vie y ont accumulé certaines formes de matière. Toute l'industrie minière s'est construite sur l'exploitation de ces gisements dont la recherche constitue, à elle seule, une branche importante de l'activité technique, la prospection.

L'homme n'exerce pas les mêmes effets sur ces deux aspects de l'hétérogénéité terrestre.

La division entre continents, océans et atmosphère a un caractère intangible. Son équilibre peut cependant être perturbé involontairement par l'activité humaine, essentiellement par l'altération de sa composante la plus fragile, l'atmosphère. Le réchauffement climatique engendré par l'enrichissement de l'atmosphère en gaz à effet de serre constitue avec ses conséquences secondaires — disparition de la banquise arctique, fusion des inlandsis, montée du niveau des océans — l'aspect le plus médiatisé de cette altération. Si réduits que soient ses effets actuels, ils sont porteurs de menaces redoutables parce que le système technique comme les formes supérieures de la vie sont étroitement adaptés à l'équilibre thermique et hydrique de la planète. Il suffirait d'une évolution mineure de cet équilibre pour bouleverser aussi bien la biocénose terrestre et les habitats humains proches des côtes que la compatibilité du système technique avec son environnement. La ligne d'action vers une société pérenne consiste donc d'abord à maintenir les hétérogénéités de grande échelle dans un état aussi proche que possible de leur état actuel, mais aussi à s'adapter aux altérations inévitables et d'ailleurs déjà perceptibles que nous leur imposons.

Les gisements et leur exploitation

L'exploitation des hétérogénéités de petite échelle, les gisements, constitue un des fondements du système technique. À leur endroit, un objectif de préservation n'a guère de sens. Les notions d'épuisement et de rythme de consommation gouvernent l'avenir.

Dans un gisement, on trouve, à un niveau de concentration supérieur à ce que l'on rencontre en général dans l'écorce terrestre, une espèce minérale particulière, ou une matière carbonée. Une variété de processus géologiques et vitaux a produit cette ségrégation. Pour des raisons physiques évidentes, les océans et l'atmosphère, fluides proches du mélange parfait, ne contiennent pas de gisements.

Je reviendrai sur les gisements de molécules carbonées : charbon, pétrole et gaz. Les gisements minéraux ne méritent ce nom que s'ils contiennent un élément relativement rare dans l'écorce terrestre. On ne parle pas de gisements, ni de mines, mais de carrières, lorsqu'il s'agit de roches comme le granit ou la craie ; les éléments chimiques qui entrent dans leur composition sont assez abondants sur la Terre pour que le problème d'épuisement ne se pose pas. Il en va tout autrement de certains éléments plus rares qui jouent un rôle important dans le système technique.

Que signifient les termes d'épuisement et de réserves ?

Lorsqu'un gisement minéral est entièrement consommé, la matière qu'il rassemblait n'a pas disparu de la surface de la Terre ; elle s'y retrouve en quantités strictement identiques avant et après la disparition du gisement, mais elle s'est dispersée dans les artefacts techniques, dans les déchets laissés par leur production et, en définitive, dans la mise au rebut des artefacts. On observe là l'effet d'une loi fondamentale de la nature : la tendance des systèmes isolés à évoluer vers l'état le plus probable qui est l'état de désordre maximum. Pour les gaz et les liquides, c'est celui, rapidement atteint, de mélange homogène, ou quasi homogène, dont l'atmosphère et les océans offrent l'image. Cependant, cela n'est vrai que des systèmes qui ne reçoivent pas d'énergie venant de l'extérieur, ce qui n'est pas le cas de la Terre immergée dans le flux du rayonnement solaire. Aussi voit-on cette source d'énergie séparer l'eau douce des constituants minéraux de l'eau de mer — le sel marin — pour former les nuages et la pluie qui alimente les cours d'eau. Mais les gisements minéraux n'ont pas été créés par l'énergie solaire. À l'exception des gisements de matière carbonée, ils l'ont été, au cours des époques géologiques, par les forces tectoniques, même s'ils ont pu être remaniés par l'érosion qui est un effet secondaire du cycle de l'eau. Ils ne peuvent être reconstitués par de simples aménagements, comme peuvent l'être, par exemple, des réservoirs d'eau douce. Leur épuisement, c'est-à-dire leur dispersion dans l'environnement, constitue un phénomène irréversible, une altération définitive des ressources de l'écorce terrestre. C'est là qu'intervient la notion complexe de *réserves,* qui combine des dimensions physique, technique et économique.

On parle de réserves pour une catégorie particulière de gisement — les gisements de cuivre ou d'argent, par exemple, mais surtout de pétrole — afin de quantifier le contenu des gisements connus et accessibles à une exploitation. Sous une apparente simplicité, cette définition dissimule deux difficultés.

La première est qu'elle tend à identifier la réserve planétaire de telle ou telle ressource aux gisements qui sont connus. Les résultats de la prospection peuvent donc accroître les réserves si le rythme des découvertes est supérieur au rythme de la consommation. On peut, dans une certaine mesure, anticiper l'efficacité des activités de prospection et évaluer ainsi l'évolution des *réserves connues*. Il y a là un premier élément d'imprécision ou d'incertitude sur le chiffrement de la réserve de tel ou tel matériau utilisé par le système technique.

Une seconde difficulté s'attache à la notion de rentabilité de l'exploitation. La rentabilité rapproche le coût de l'exploitation du prix dont le marché paie son produit. Or le coût de l'exploitation dépend de nombreux facteurs dont les plus immédiats sont la richesse du gisement, son accessibilité et l'efficacité des techniques d'exploitation.

La notion de *réserve prouvée* combine le jeu de ces facteurs. Elle désigne l'ensemble des réserves qui sont physiquement connues et dont l'exploitation est rentable.

Outre son exploitation qui la consomme, trois facteurs peuvent faire évoluer la réserve prouvée d'un élément ou d'une substance : un facteur physique (la découverte de nouveaux gisements), un facteur technique (la productivité des méthodes d'exploitation) et un facteur économique (le prix que le marché attribue au matériau extrait). La combinaison de ces facteurs détermine le contenu des gisements connus dont l'exploitation, à une certaine époque, est rentable. La rareté croissante d'une espèce naturelle par épuisement des gisements connus produit une montée de son prix et, par voie de conséquence, une augmentation des réserves. Les réserves prouvées de tel ou tel matériau peuvent donc augmenter malgré l'intensité de l'exploitation à laquelle les gisements sont soumis.

Il y a toutefois des limites au jeu de ces mécanismes. L'évolution des techniques d'exploitation et l'influence du marché tendent à compenser, pour un temps, les effets de la dégradation (au sens thermodynamique du terme) que représente la consommation des gisements et, par conséquent, à la masquer. En d'autres termes, ils constituent une adaptation à une transformation de la structure planétaire. Le système technique n'appréhende pas la planète comme peut le faire un planétologue qui s'intéresserait à son contenu total en un élément particulier ; il s'est adapté à la distribution de cet élément, distribution que le processus d'épuisement des gisements a pour effet de modifier. Jacques Lesourne attribue à un « analphabète » l'idée que « les Athéniens, afin de préserver l'argent des mines du Laurion pour les générations futures, auraient dû renoncer aux moyens financiers qui leur permirent de construire la flotte victorieuse de Salamine » et relève que « l'erreur de l'analphabète est de raisonner à technologie constante et de négliger les substitutions engendrées par les raretés relatives, c'est-à-dire par les prix »[1]. L'erreur de l'économiste est d'ignorer les limites de cette adaptation par le marché et le caractère irréversible de la transformation imposée par le système technique aux gisements de la planète. Aucune démarche « économique » n'est de nature à s'opposer à la dégradation thermodynamique de l'écorce terrestre. Dans l'état où sont aujourd'hui les mines abandonnées du Laurion, elles ne permettraient pas à Athènes de vaincre à Salamine. Une erreur lourde est d'ignorer que, sous-jacent aux lois du marché qui assurent une adaptation réversible à l'état de la ressource, se déroule un processus irréversible de dégradation. Pour renverser la tendance, le marché est inopérant ; il y faut une action physique qui, pour enrichir le matériau, dégrade de l'énergie.

On peut aussi observer que le système technique crée lui-même le gisement particulier que constituent les déchets. L'exploitation de ce gisement — la récupération des déchets — permet de réduire le recours aux gisements

---

1. J. Lesourne, *Les Crises du XXIᵉ siècle, op. cit.*, p. 61.

naturels. C'est ainsi que la production d'acier est nettement supérieure à ce que l'on extrait des mines de fer et que l'on récupère l'or dans les ordinateurs mis au rebut. Mais les lois implacables de la thermodynamique font que le produit de cette récupération est toujours inférieur à ce que l'on a extrait des ressources naturelles « non renouvelables », c'est-à-dire des gisements. Une fraction de la ressource est diluée dans l'environnement sous une forme inexploitable ou, pis, comme une pollution.

Ce qui est « non renouvelable » dans une ressource minérale, ce n'est pas la matière, c'est le degré de concentration de cette matière. La seule façon de renverser ce processus est de dégrader de l'énergie pour concentrer la matière. C'est ce que l'on fait déjà pour traiter les minerais et en extraire l'élément qu'ils contiennent, mais la dépense d'énergie est d'autant plus grande que le minerai est plus pauvre. Cet appauvrissement de la planète en zones de concentration élevée de certains éléments crée ainsi une interaction croissante entre la disponibilité de ressources énergétiques et celle des ressources minérales dont le système technique a besoin.

On pourrait utilement s'interroger sur le point de savoir si les civilisations primitives, celles de l'âge du cuivre et du bronze, auraient pu émerger et se développer sur une planète qui aurait été dans l'état où l'ont amenée quelques siècles d'exploitation intensive. Il est probable que l'âge de pierre, fondé sur des ressources inépuisables de silex, n'aurait pu être dépassé.

Naturellement, certaines ressources minérales existent en quantité pratiquement illimitée par rapport aux besoins actuels et même imaginables de la technique. C'est ainsi que 98,5 % de la croûte terrestre sont constitués de huit éléments, l'oxygène, le silicium, l'aluminium, le fer, le calcium, le sodium, le potassium et le magnésium. Pour ces éléments, pas plus que pour les constituants majeurs de l'atmosphère et des océans, la notion de réserve n'a pas de signification. Mais le système technique exploite la quasi-totalité des éléments chimiques de la classification périodique. Il est plus exigeant en cela que la vie, qui n'en utilise que vingt-deux.

En rapprochant le rythme d'exploitation et les réserves d'un élément particulier, on est conduit à l'estimation d'un délai d'épuisement à l'issue duquel cet élément fera défaut. Cette notion doit être utilisée avec beaucoup de précautions en raison d'abord, comme on l'a vu, des incertitudes techniques et économiques qui s'attachent à la notion de réserve contenue dans les gisements de la croûte terrestre. S'y ajoutent les incertitudes sur l'évolution du rythme de consommation et le jeu des possibilités techniques de substitution d'un élément à un autre pour la même utilisation. On a observé cela pendant la Seconde Guerre mondiale où, le cuivre étant devenu rare du fait de la demande militaire, l'aluminium s'est substitué à lui dans de nombreux usages, y compris la fabrication des pièces de monnaie.

Dans le cas le plus général, l'épuisement se manifestera progressivement par une montée progressive des prix, d'ailleurs perturbée par la spéculation et coupée d'accidents dus aux succès et aux échecs de la prospection.

Éclairons tout cela par un exemple. Mis à part les composants principaux du sel marin, treize éléments forment des composés solubles et sont présents dans les océans à des concentrations très faibles. C'est le cas du lithium, à raison de 0,14 mg/litre. Les gisements de cet élément sont des évaporites où se sont déposés les sels contenus dans des mers disparues. Le plus important se trouve en Bolivie, avec environ un tiers d'une réserve mondiale pour laquelle les estimations varient de 11 à 14 millions de tonnes. La production annuelle de lithium était estimée en 2007 à

25 000 tonnes par l'United States Geological Survey (USGS), ce qui conduit, avec les réserves exprimées plus haut, à un délai d'épuisement compris entre 440 et 560 années. Cette production est absorbée en grande partie par les batteries des téléphones mobiles. On envisage d'utiliser des batteries analogues pour équiper les automobiles électriques du futur proche. Il y a donc de bonnes raisons de penser que la production va augmenter. Selon certaines estimations, ce besoin la ferait monter à 250 000 tonnes par an, ce qui ramène le délai d'épuisement à un demi-siècle. Le prix du marché est d'ailleurs passé de 350 dollars US par tonne en 2003 à 3 000 dollars US en 2008.

Qu'en est-il de la réserve océanique ? Le volume des océans est d'environ 1,3 milliard de kilomètres cubes, ce qui, à raison de 0,14 milligramme de lithium par litre, donne un contenu en lithium d'environ 200 milliards de tonnes. L'exploiter est techniquement possible mais énergétiquement coûteux. Pour décupler la production actuelle de lithium, il suffirait de traiter environ 200 kilomètres cubes d'eau de mer chaque année, soit un dix millionième de la masse des océans ; c'est dire que cette réserve est inépuisable et il en va de même pour les éléments rares qui sont contenus dans l'eau de mer à des concentrations supérieures à 0,06 milligramme par litre.

D'autres éléments nécessaires à la technique et à la vie, c'est-à-dire à l'agriculture, ne sont pas présents sous forme dissoute dans les océans. Il faudra donc, lorsque les gisements riches seront épuisés, les extraire de sources de moins en moins riches de la croûte terrestre et cela aura deux conséquences : une croissance de l'énergie nécessaire à l'extraction et aux traitements, ensuite la création de déchets dont il faudra disposer. On retrouve là deux conséquences inévitables du recours à des milieux de concentration de plus en plus faible : la diminution de la production à énergie consommée constante, la croissance de rejets potentiellement dommageables à l'environnement et dont le traitement consommera de l'énergie.

Il n'existe pas, à ma connaissance, de modélisation globale de l'exploitation des ressources minérales en termes de besoins, de production et de coût énergétique. Une telle entreprise se heurterait à de grandes difficultés et rencontrerait de nombreuses incertitudes. Les délais d'épuisement estimés pour nombre de minéraux sont d'un ordre de grandeur largement inférieur à l'horizon que nous nous sommes donné[1]. Pour certains, comme le cuivre, les effets de l'épuisement se font déjà lourdement sentir sur les cours financiers. Il y a une dimension symbolique dans le fait que ce métal, qui fut certainement considéré comme un métal précieux par nos ancêtres de l'âge de bronze, soit en train de le redevenir. Plusieurs facteurs rendent difficile l'évaluation des délais dans lesquels les réserves à haute concentration de tel ou tel élément seront épuisées. On peut s'en former une idée en observant la montée du prix, mais le signal que donne cette hausse est brouillé par les phénomènes spéculatifs, par les alternances de croissance et de dépression économique, par la découverte aléatoire de nouveaux gisements et par les phénomènes de substitution à l'intérieur du système technique. C'est ainsi qu'initialement la technique des semi-conducteurs, sur laquelle reposent les techniques de l'information et de la communication, a utilisé le germanium avant de se reporter, pour des raisons techniques, sur le silicium, qui est disponible en quantités inépuisables. Sans cette mutation technique imprévue, il est probable que le prix du germanium,

---

1. Jacques Hamon, « Énergies fossiles, métaux essentiels : comment s'adapter à l'épuisement des réserves », *Environnement et technique*, janvier 2010.

aujourd'hui de 1 000 à 1 500 € par kilo, se serait envolé. Au rythme de consommation actuel, les réserves de gallium et d'indium, métaux nécessaires à la construction des panneaux solaires, sont de quelques décennies. Plus généralement, aux réserves de métaux dits stratégiques, dont la pénurie peut bloquer le fonctionnement de secteurs entiers du système technique, correspondent le plus souvent des délais d'épuisement de quelques dizaines à quelques centaines d'années. Les grandes puissances en constituent des stocks pour ne pas en être démunies en cas de conflit.

Au total, et quelles que soient les incertitudes qui s'attachent aux délais d'épuisement, ces délais sont, dans nombre de cas, très inférieurs à l'horizon de survie que nous avons envisagé. La croissance de la dépense énergétique nécessaire pour séparer un élément de sources de plus en plus pauvres crée, entre l'économie de la matière et celle de l'énergie, un couplage incontournable. On lit, à propos de l'économie du lithium, qu'à la différence du pétrole il n'est pas détruit et qu'il sera possible de récupérer cent pour cent de la matière utilisée dans les batteries. C'est une absurdité parce que cela impliquerait, pour seulement s'en approcher, un degré de discipline individuelle sans exemple. L'exploitation de la ressource que constituent les déchets allège le recours aux sources primaires mais ne le supprime pas.

L'énergie

L'homme, ou plus précisément le système technique, ne produit pas d'énergie, il l'emprunte à des sources extérieures et il la consomme ou plus précisément il la dégrade. Deux notions sont essentielles pour appréhender les problèmes de l'énergie, d'une part la distinction entre l'énergie thermique — la chaleur — et l'énergie mécanique et, d'autre part, les notions de stock et de flux.

L'énergie mécanique, celle qui s'exprime par une force capable d'accomplir un travail, est le besoin essentiel mais non unique du système technique. C'est elle qui se substitue à la force musculaire de l'homme et des animaux. Quelques activités industrielles utilisent directement la chaleur, par exemple la fabrication des ciments ou celle de la fonte, et naturellement l'homme a besoin de chaleur pour chauffer ses habitats, mais pour l'essentiel le système technique s'est édifié sur la disponibilité d'énergie mécanique.

Les lois de la nature, plus précisément les principes de la thermodynamique, disposent que l'énergie mécanique peut être intégralement convertie en chaleur mais que l'inverse n'est pas vrai. On sait cela depuis que Sadi Carnot a publié, en 1824, ses *Réflexions sur la puissance motrice du feu* dans lesquelles ce qu'il appelle la « puissance motrice » et le « feu » sont devenus respectivement dans le vocabulaire moderne l'énergie mécanique et l'énergie thermique. Le rendement de la conversion de la chaleur en énergie mécanique est limité. Il est fonction de la température de la source, dite source chaude, à laquelle on emprunte la chaleur, et de celle de la source froide vers laquelle on la rejette. Dans une centrale thermique qui crée une source chaude en faisant brûler du gaz naturel ou du fuel, ce rendement ne dépasse guère 45 % ; le reste de l'énergie thermique est perdu pour le système technique, à moins qu'on ne l'utilise localement pour chauffer des bâtiments. Je dis localement parce qu'on ne sait pas transporter l'énergie *thermique* sur de grandes distances.

Reste à voir comment on peut transporter l'énergie *mécanique* du lieu où elle est produite vers ceux où on la consomme, c'est-à-dire où son usage la reconvertit en chaleur.

C'est là qu'interviennent les notions de stock et de flux. Une automobile transporte son petit stock d'énergie prélevé sur les stocks naturels, le carburant, qu'elle combine à l'air pour créer la chaleur que le moteur convertit partiellement en énergie mécanique.

Il existe divers moyens de stocker l'énergie mécanique sous des formes qui soient susceptibles de la restituer, mais aucun ne permet, en l'état actuel des choses, de mettre en réserve des quantités suffisantes pour répondre aux variations de la demande globale d'énergie.

On peut créer des stocks d'énergie mécanique en pompant la réserve d'un barrage vers un autre plus élevé, mais le procédé rencontre les mêmes limitations quantitatives que la production hydraulique. On peut aussi stocker de l'énergie sous la forme d'un corps chimique en déséquilibre avec l'atmosphère, c'est-à-dire susceptible d'y brûler, par exemple en électrolysant de l'eau pour produire de l'hydrogène; d'où l'idée que l'on rencontre d'une « économie de l'hydrogène ». L'usage de ce terme ne doit pas conduire à l'idée fausse que l'hydrogène — qui n'existe pas sous forme libre sur la Terre — est en soi une source; elle n'est qu'un vecteur : elle fournit seulement un moyen, d'ailleurs mal maîtrisé, de stocker l'énergie. On peut enfin envisager de stocker des réserves d'air comprimé dans des réservoirs géologiques souterrains, ce qui est un procédé activement étudié par EDF. Encore faut-il que l'on dispose de ces réservoirs et qu'ils ne soient pas utilisés à d'autres fins comme le stockage du CO_2 produit par les centrales thermiques.

Il n'existe que deux moyens de transporter l'énergie sur de longues distances : transporter un stock matériel destiné à être transformé ou transporter l'énergie sous forme d'électricité.

L'électricité est de l'énergie mécanique à l'état pur, on ne sait donc pas plus la stocker que l'énergie mécanique. Il est essentiel de comprendre que l'électricité est non pas un stock mais un flux d'énergie. Sa vertu cardinale est de permettre le transfert de grandes quantités d'énergie mécanique à de grandes distances, à la vitesse de la lumière, c'est-à-dire, pour les distances terrestres, de façon instantanée. Ce transfert se fait avec des pertes très réduites et avec un réseau beaucoup plus léger que tout ce que nécessite le transport de « stocks » matériels d'énergie : oléoducs, gazoducs, navires minéraliers et méthaniers, etc. Les moteurs électriques transforment aisément l'énergie électrique en puissance motrice, mais il n'existe pas aujourd'hui de moyens de stocker massivement l'énergie électrique que l'on extrait des stocks naturels, nucléaires ou carbonés, et du rayonnement solaire.

Avant que l'on n'invente la machine à vapeur, il fallait, pour accéder à l'énergie mécanique, se rendre auprès des sources d'où elle était extraite ; le blé allait aux moulins qui puisaient dans la force du vent et dans celle des cours d'eau. Et avant l'apparition de l'électricité, il fallait être auprès de la machine à vapeur pour utiliser sa production d'énergie mécanique.

De ces considérations élémentaires découle une contrainte générale qui pèse sur l'approvisionnement énergétique du système technique. L'absence d'une capacité de stockage massif de l'énergie électrique, et plus généralement de l'énergie mécanique, impose la nécessité d'adapter, en temps réel, la production à la demande. Cela créera un problème aigu si la production est sujette à des variations incontrôlables, ce qui sera le cas de l'énergie solaire. On peut naturellement agir, dans une certaine mesure, sur la demande en imposant des délestages aux gros utilisateurs, mais cette possibilité est limitée. Chacun sait bien qu'une période de froid intense, un anticyclone hivernal par exemple qui s'accompagne d'ailleurs d'une absence de vent, entraîne des pics peu contrôlables de consommation.

Sources primaires d'énergie

Les sources d'énergie accessibles à l'homme sont, pour l'essentiel, au nombre de deux : le rayonnement solaire émis par la chaudière nucléaire du Soleil et les déséquilibres thermodynamiques qui se sont accumulés dans l'écorce terrestre ou à sa surface. Pour ces derniers, ce sont, d'une part, les produits carbonés susceptibles de brûler dans l'atmosphère terrestre en produisant de la chaleur et, d'autre part, les éléments qui, par fission, comme l'uranium, ou par fusion, comme le deutérium et le lithium, sont susceptibles de libérer l'énergie nucléaire qu'ils ont accumulée dans les débuts de l'univers. Les matériaux carbonés ont été engendrés par l'action du rayonnement solaire sur la matière vivante qui a été fossilisée pour donner le pétrole, le charbon et le gaz naturel.

Il faut y ajouter l'énergie des marées et l'énergie géothermique, mais elles ne peuvent fournir que des contributions très faibles au bilan global. Certaines régions sont favorisées à cet égard, comme l'Islande qui tire 90 % de ses besoins en chauffage et 20 % de sa production d'électricité de la géothermie, ou comme la France et l'Angleterre qui disposent, avec les marées de la Manche, d'un gisement d'énergie encore peu exploité. Mais, moyennées sur l'ensemble du globe, ces sources d'énergie sont marginales.

Les ignorer dans la recherche d'une solution globale n'est donc pas une simplification abusive.

Les seules sources d'énergie qui seront jamais à la disposition des hommes sont donc l'énergie solaire, y compris les réserves qu'elle a accumulées, et l'énergie nucléaire. L'énergie empruntée aux végétaux, c'est-à-dire aux produits de la synthèse chlorophyllienne qui est dérivée directement de l'énergie solaire, est certes renouvelable, mais à un rythme très inférieur aux besoins du système technique et à celui de la consommation des réserves accumulées au cours des âges géologiques.

Seule l'énergie du rayonnement solaire est renouvelable, mais elle est diffuse. L'atmosphère terrestre en transforme une fraction infime en énergie mécanique, celle du vent qu'exploitent les éoliennes et celle des cours d'eau qu'exploitent et que stockent les barrages.

Restent les deux formes d'énergie nucléaire dont la première, la fission, outre les risques réels ou imaginaires qu'elle présente, repose, avec les techniques actuelles, sur des ressources limitées et non renouvelables. Seule l'énergie de fusion dispose *a priori*, avec le deutérium, de réserves telles qu'on peut les considérer comme inépuisables, mais elle n'est pas techniquement maîtrisée.

La consommation des réserves carbonées au rythme actuel couple le problème des ressources énergétiques à deux autres problèmes. D'abord à celui de l'épuisement à échéance très proche de la ressource pétrolière, à échéance un peu plus éloignée du gaz naturel et nettement plus éloignée du charbon. Il s'y ajoute la menace d'une altération majeure du climat, à moins que l'on ne parvienne à séquestrer le CO_2 produit par les centrales à charbon dans des réservoirs souterrains.

Enfin, on peut envisager de remplir les réservoirs des véhicules de transport et des avions avec les produits de l'« agriculture énergétique », mais alors le problème de la production énergétique se couple avec celui de la production alimentaire par l'intermédiaire du caractère fini des surfaces cultivables. Nous avons affaire, on le voit sur cet exemple, à des éléments d'un système dont toutes les composantes sont interdépendantes.

La production d'énergie mécanique

L'impossibilité de stocker massivement l'énergie électrique implique que sa production s'adapte instantanément à la consommation. Cette contrainte est inégalement satisfaite par les principales sources d'énergie. Les centrales thermiques qui brûlent des combustibles carbonés y pourvoient parfaitement. Il est possible de les mettre en route et de les arrêter de façon quasi instantanée. Il en va de même des centrales hydrauliques dans la limite de la réserve d'eau dont elles disposent. La production d'une centrale nucléaire à fission peut être stoppée dans un délai très bref, mais son redémarrage exige un délai de quelques jours. Dans un parc énergétique comme celui d'EDF, les centrales nucléaires fournissent la production de masse. Les centrales thermiques sont utilisées pour absorber les pointes de consommation. Quant aux centrales hydrauliques, elles sont gérées en fonction des apports d'eau que permet de prévoir, avec des marges d'incertitude, la connaissance du climat.

Restent, parmi ce qui est aujourd'hui accessible à la technique, des sources d'énergie plus récentes, parfois qualifiées d'« alternatives », les éoliennes qui sont la version moderne des moulins à vent et les panneaux de cellules photoélectriques qui transforment directement le rayonnement solaire en énergie électrique.

Ces deux sources ont en commun plusieurs caractères. En premier lieu, leur niveau de production est aléatoire. Il n'est pas seulement, comme c'est le cas de l'énergie hydraulique, soumis aux variations du climat, mais aux caprices de la météorologie, qui sont imprévisibles au-delà de quelques jours. Les éoliennes ne fonctionnent qu'au-delà d'un seuil donné de vitesse du vent et en deçà d'un autre. Lorsque le vent dépasse une certaine intensité, il faut les mettre en drapeau et cesser la production. L'arrêt d'un réseau d'éoliennes pour cause de tempête peut, de proche en proche, provoquer un effondrement du réseau européen de distribution électrique. Il est concevable de remédier à cette faiblesse intrinsèque en interconnectant des éoliennes distribuées sur toute la surface d'un continent, c'est-à-dire sur une surface du même ordre que celle des perturbations météorologiques et en espérant que le vent soufflera à une vitesse raisonnable sur une fraction importante de cette surface. Cela exigera un investissement massif pour adapter à une dissémination des sources de production un réseau de distribution construit autour de grandes centrales. Les « gisements » de vent sont d'ailleurs très variables d'une zone géographique à une autre. Au total, un recours massif aux modernes moulins à vent n'est pas sans quelque analogie avec ce que serait un retour à la marine à voile.

Reste la question de l'atteinte à l'esthétique des paysages qui est une question de goût. Je dois confesser que le goût des éoliennes n'est pas le mien. Je me sens en bonne compagnie avec James Lovelock qui écrit : « Je dois reconnaître que j'ai personnellement une aversion spécifique pour les grandes turbines *onshore* », et qui ajoute : « Je pourrais être persuadé de serrer les dents et de supporter leur laide intrusion si ces fermes éoliennes étaient vraiment efficaces et capables de satisfaire nos besoins de puissance, mais en fait elles sont à peu près inutiles comme source d'énergie[1]. » Ce qui est certain, c'est que la généralisation de l'énergie éolienne aura, sur les paysages, un impact énorme, sans commune mesure avec celui, très discret, des centrales nucléaires.

La question du nombre d'éoliennes qui seraient nécessaires pour assurer une fraction significative de la production a fait l'objet d'estimations quantitatives sur lesquelles je reviendrai.

L'énergie solaire photovoltaïque présente des aléas de même nature que l'énergie éolienne. La nébulosité, qui fait chuter la production, a le même degré d'imprévisibilité que le vent. Il s'y ajoute que, de façon parfaitement prévisible, la production est nulle pendant la nuit, plus faible en hiver qu'en été et aux latitudes élevées qu'au voisinage de l'équateur. La présence du photovoltaïque est plus discrète, moins obsédante que celle d'un réseau d'éoliennes. Il est possible de l'installer dans les zones urbanisées en utilisant les toits et les sommets des immeubles.

Ordres de grandeur

L'énergie, étant une grandeur physique mesurable, se prête aisément à une approche quantitative. On qualifie d'*énergie primaire* les produits disponibles pour une consommation immédiate : combustibles fossiles et biomasse auxquels on ajoute les énergies éolienne, solaire, hydraulique et nucléaire. L'usage est de mesurer cette énergie en tonnes d'équivalent pétrole (tep). Une tep — l'énergie produite par la combustion d'une tonne de

---

1. James Lovelock, *The Vanishing Face of Gaia. A Final Warning*, Londres, Allen Lane, 2009, p. 81.

pétrole — correspond, dans le système international d'unités, à 42 milliards de joules (42 GJ). La consommation mondiale d'énergie primaire en 2005 était de 11,5 Gtep. La répartition de cette énergie se distribue selon les pourcentages suivants (chiffres de l'AIE, Agence internationale de l'énergie, en 2004) : pétrole 35 %, charbon 25 %, gaz naturel 21 %, biomasse 10 %, électricité nucléaire 6 %, énergie hydraulique 2 %, énergies renouvelables (éolienne et solaire) 1 %. On notera que les combustibles fossiles alimentent environ 80 % de la consommation mondiale et que la contribution des énergies renouvelables est encore négligeable. Ces chiffres mondiaux recouvrent des disparités considérables tant au niveau des consommations individuelles qu'à celui du recours aux différents types d'énergie. C'est ainsi qu'un Américain consomme en moyenne 5,3 tep par an, un Européen 2,7, un Africain 0,5. Pour amener l'ensemble de la population mondiale au niveau de consommation américain, il faudrait faire passer la consommation mondiale de 10,5 à 34 Gtep, soit approximativement un triplement. En ramenant ces chiffres globaux à des quantités plus familières, on constatera aisément qu'un Américain dispose en moyenne de 7 000 watts par personne, un Européen de 3 600, ce qui représente approximativement 70 fois et 36 fois la puissance dont dispose le corps humain. Ce facteur multiplicatif caractérise les besoins du système technique actuel.

Quant à la répartition des sources, elle est fortement influencée par les choix nationaux. Le choix du nucléaire en France a conduit à des pourcentages qui s'écartent nettement de la répartition mondiale ; l'énergie électrique qui représente 42,5 % de la consommation totale est fournie à un peu plus de 80 % par les centrales nucléaires. Cela donne un premier élément d'appréciation sur les conséquences économiques et techniques de la « sortie du nucléaire » que préconisent certains.

Dernier élément de ce rapide tableau d'ensemble : l'évolution au cours des décennies écoulées de la consommation énergétique mondiale. Depuis la fin de la Seconde Guerre mondiale, elle a crû régulièrement pour passer d'environ 1,7 Gtep en 1945 à 8,5 Gtep en 2000 et à 10,5 aujourd'hui, soit un facteur 6 en un demi-siècle. Les pays industrialisés à faible croissance démographique sont la source essentielle de cette croissance.

On peut considérer à juste titre qu'une fraction substantielle de cette énergie est gaspillée ou, en d'autres termes, qu'il serait possible d'obtenir une réduction de la consommation en améliorant l'efficacité énergétique du système technique. Cependant ce processus a des limites.

L'objet de ces quelques considérations n'est pas de fournir les bases d'une modélisation du système énergétique pour les décennies qui viennent. Il est seulement de fournir une référence quantitative qui permette d'apprécier l'ampleur des problèmes que la société devra résoudre.

Les nombreuses tentatives de modélisation de la demande énergétique future ont produit une gamme étendue de résultats. Les scénarios de base que l'AIE a publiés en 2006 prévoient que la demande mondiale d'énergie primaire atteindra 17 Gtep en 2030, soit une croissance de 53 %, et 22 Gtep en 2050, soit un doublement de la consommation actuelle.

Les problèmes du futur

Dans les problèmes d'approvisionnement énergétique de la société, il est commode de distinguer ceux qui concernent le court et le moyen terme — au sens de ce qui va de la décennie actuelle au siècle — et ceux qui se posent à l'horizon du millénaire.

Il faut d'abord se convaincre qu'il n'est pas possible de maintenir le fonctionnement du système technique et l'économie qui lui correspond sans consommer des ressources énergétiques qui sont de l'ordre de grandeur de celles que l'on exploite actuellement.

L'épuisement progressif des gisements de matière carbonée, qui fournissent 80 % du panier énergétique actuel, constitue le premier volet du problème. Tous les combustibles sont fournis par des gisements épuisables, mais ils le sont à des degrés divers. Au rythme actuel de consommation, les réserves de pétrole ne fourniront aux besoins que pour quelques dizaines d'années, le gaz un peu plus, le charbon quelques siècles. On pourrait donc considérer que le problème à horizon proche peut être résolu par un transfert progressif du pétrole vers le charbon. C'est d'ailleurs dans cette direction que va la Chine. Ce glissement progressif du pétrole au charbon créera évidemment des problèmes géopolitiques liés à la distribution géographique des ressources minières. On peut juger qu'il fournira à la société un répit suffisant pour affronter le long terme. Mais la consommation des réserves de combustibles fossiles crée, chacun le sait, un problème de pollution globale de l'atmosphère qui est la source d'une altération du climat de la Terre. J'y reviendrai dans un prochain chapitre. Qu'il suffise de dire à ce stade que l'accroissement de la teneur de l'atmosphère en dioxyde de carbone — qui est l'un des produits de la combustion, l'autre étant l'eau — engendre un réchauffement général de la planète. Le recours au charbon augmente l'acuité de ce problème car le charbon est celui des trois combustibles fossiles qui contient la plus forte proportion de carbone et la plus faible proportion d'hydrogène. Il est donc le plus polluant.

On pourrait espérer que l'épuisement des gisements va compenser l'altération du climat, mais tel n'est pas le cas. Comme l'écrit élégamment Nicholas Stern : « En termes crus, il y a trop peu d'hydrocarbones pour soutenir la croissance pendant plus d'un siècle, et certainement plus qu'il n'en faut pour faire frire la planète[1]. »

La capture du CO_2

Si l'on veut pouvoir utiliser les combustibles fossiles pour assurer l'approvisionnement énergétique de base dans une proportion voisine de celle d'aujourd'hui, il faudra pallier leurs effets sur l'atmosphère terrestre. Le temps dont on dispose pour cela est de quelques dizaines d'années tout au plus, et cela en écartant l'éventualité d'un basculement catastrophique du climat. Il n'y a pour ce faire que deux démarches envisageables dont aucune n'est aisée : capturer le dioxyde de carbone à sa source, dans les rejets gazeux des centrales thermiques, ou l'extraire de l'atmosphère. La première approche semble la plus praticable parce qu'elle porte sur des gaz riches en CO_2. Il reste qu'il ne suffit pas d'extraire le CO_2; il faut ensuite le stocker, ce qui ne peut se faire qu'en l'injectant, en quantités massives, dans des structures géologiques profondes où il sera emprisonné pour une durée indéterminée. Les techniques nécessaires ont été développées pour les deux phases de l'opération et il existe même des centrales thermiques expérimentales qui préparent un passage au stade opérationnel. Les difficultés que rencontre la généralisation de cette technique sont de deux sortes. La capture du CO_2 à

1. Nicholas Stern, *The Global Deal. Climate Change and the Creation of a New Area of Progress and Prosperity*, New York, Public Affairs, 2009, p. 38.

la source a une incidence sur le coût de production du kilowattheure à laquelle, comme il est naturel, le marché — c'est-à-dire les intérêts en cause — résiste. Elle ne peut se généraliser que par une réglementation imposée par le pouvoir politique à laquelle toutes les nations accepteraient de s'astreindre.

En outre, le stockage du CO_2 rencontre des difficultés qui ne sont pas sans quelque analogie avec celles du stockage souterrain des déchets nucléaires. Toutes les structures géologiques ne se prêtent pas à un tel usage. On peut songer à utiliser les structures dans lesquelles était piégé le gaz naturel ou le pétrole. C'est ce que fait déjà Gaz de France pour stocker ses réserves de gaz naturel. À la différence du stockage nucléaire, celui du CO_2 peut s'accommoder de quelques fuites car le produit stocké n'est toxique qu'à concentration élevée. Cependant, une difficulté majeure subsiste. L'implantation des centrales thermiques existantes s'est faite, bien évidemment, sans qu'aucune attention soit portée à la capacité de stockage de leur site. Pour généraliser cette technique, il faut donc accepter des contraintes particulières dont les coûts s'ajoutent à ceux de la capture : soit transporter le CO_2 capturé pour les centrales existantes, soit optimiser le choix de l'emplacement des centrales nouvelles en fonction des proximités des sites de stockage et de la localisation de la demande. Il s'agit donc d'une démarche qui ne soulève pas de problèmes techniques insurmontables, mais dont le déploiement opérationnel se heurtera à de grands obstacles économiques et politiques. Cependant, s'il s'avère indispensable que les réserves de carbone soient utilisées pour assurer une transition vers un horizon plus lointain, la capture de CO_2 à la source est une contrainte incontournable.

La démarche de capture du CO_2 directement dans l'atmosphère pose, elle, des problèmes de faisabilité nettement plus aigus que la capture à la source. Comme nous le verrons, la gravité des problèmes engendrés par l'altération du climat demande que l'on ne néglige aucune démarche susceptible de conduire à un état de la société dans lequel les énergies fossiles auront disparu.

La fission nucléaire

C'est aussi dans l'esprit d'une indispensable transition qu'il faut appréhender le problème de l'énergie fournie par la fission d'atomes lourds. À la différence de l'énergie de fusion des atomes légers qui fait briller les étoiles, cette forme d'énergie n'intervient que de façon tout à fait marginale dans les phénomènes énergétiques naturels. Son image publique est brouillée par plusieurs facteurs, au premier rang desquels un péché originel : les monstrueux massacres d'Hiroshima et de Nagasaki. À ces relents du passé s'ajoutent trois questions d'une grande actualité. D'abord celle des risques qui s'attachent au pilotage de réacteurs qui sont intrinsèquement instables : les accidents de Tchernobyl et de Three Miles Island ont focalisé l'attention sur ces risques. Deuxième élément, la production de déchets radioactifs à longue durée de vie qui pose des problèmes de retraitement et de stockage. Enfin, et surtout, les réacteurs produisent du plutonium aisément séparable et utilisable pour la construction d'armes nucléaires ou de « bombes sales ». Ainsi s'établit une relation forte avec les problèmes de prolifération du nucléaire militaire et avec les risques terroristes.

En regard de ces inconvénients, il faut placer la possibilité, pour un pays développé, d'assurer une fraction significative de son approvisionnement énergétique. C'est ce que fait la France qui a ainsi baissé, entre 1973 et 2003, la part des combustibles fossiles dans sa production d'énergie de 80 % à 55 %. Pour l'ensemble du monde, les chiffres correspondants sont de 81 % pour l'énergie fossile et de 6 % pour le nucléaire.

Les questions que suscitent ces données sont d'abord de savoir si la transition accomplie par la France est généralisable à l'ensemble de la planète. Elle est ensuite de déterminer si l'énergie de fission constitue une solution à échéance des millénaires.

Les réponses à ces questions sont pour l'essentiel négatives.

La généralisation des réacteurs actuels entraînerait à court terme une crise des approvisionnements en uranium. Ils n'utilisent en effet que l'isotope 235 qui représente 0,7 % de l'uranium naturel. Ils engendrent des déchets radioactifs à longue durée de vie pour lesquels le stockage souterrain se heurte à des problèmes critiques. Ce stockage doit garantir une étanchéité parfaite pour plusieurs millénaires, ce qui exige l'identification de structures géologiques parfaitement satisfaisantes et parfaitement connues. En assurer la surveillance et, le cas échéant, la maintenance, compte tenu de la durée de vie des éléments radioactifs, est une activité qui doit se concevoir dans le long terme. Les péripéties qui marquent aux États-Unis la recherche d'un tel site donnent la mesure des difficultés rencontrées.

Le retraitement après utilisation des combustibles nucléaires n'est pas une solution à ce problème. Certes, il permet de séparer l'uranium et le plutonium pour les réutiliser dans des réacteurs spéciaux, mais il produit un flux de matériaux hautement radioactifs à longue durée de vie dont il faut pouvoir disposer. Il ne constitue donc pas une solution au problème des déchets et en outre il produit du plutonium directement utilisable dans des armes nucléaires. La décision prise en 2009 par le président Obama d'arrêter le programme de construction d'une usine de retraitement peut ainsi s'interpréter comme une marque de la volonté des États-Unis de lutter concrètement contre la prolifération nucléaire.

Un rapport de l'Académie de sciences résume clairement les problèmes que pose l'avenir de la fission en disant qu'il « est subordonné à l'avènement des réacteurs à neutrons rapides de la prochaine génération, la quatrième ». Ces réacteurs qui utiliseraient l'isotope non fissile de l'uranium, de loin le plus abondant, ou d'autres matières comme le thorium, pourraient reporter à plusieurs millénaires l'épuisement des réserves. Le rapport note aussi que « dans le cadre d'une collaboration internationale étendue, un vaste programme vise à élaborer des solutions industrielles convaincantes, respectant de sévères contraintes de sûreté environnementale, qui pourraient devenir opérationnelles avant un demi-siècle[1] ».

On ne peut donc attendre, de l'extension de l'énergie de fission dans ses formes actuelles, qu'un remède très partiel aux problèmes d'approvisionnement énergétique. Cette extension éventuelle se couple à deux autres difficultés du futur proche : celle de l'épuisement des gisements d'uranium naturel et celle des usages militaires des sous-produits du fonctionnement des réacteurs. Le programme nucléaire iranien illustre ce second problème, celui de la disponibilité de matériaux nucléaires militaires pour des nations jugées agressives par le monde occidental. L'obten-

---

1. *La Fusion nucléaire. De la recherche fondamentale à la production d'énergie*, Rapport sur la science et la technologie n° 26, Paris, EDP Sciences, 2007.

tion d'uranium enrichi nécessaire aux réacteurs relève de la même technique que la production d'uranium fortement enrichi pour la fabrication de bombes. Une dernière question s'ajoute, celle de la sûreté de fonctionnement qui, quels que soient les progrès que l'on pourra accomplir à cet égard, devrait réserver l'usage des réacteurs à des pays politiquement stables et capables de pratiquer une gestion technique rigoureuse. La catastrophe de Tchernobyl illustre parfaitement cette nécessité.

L'ensemble des difficultés qui s'attachent, à court et à moyen terme comme à long terme, au recours à l'énergie de fission fait qu'il est difficile d'y voir plus qu'un outil de transition destiné essentiellement aux pays développés ou en développement rapide. Mais dans la mesure où ces pays sont ceux qui, par leurs émissions de gaz à effet de serre, contribuent majoritairement à l'altération du climat, la mise en œuvre de cet outil ne peut être écartée. La question de savoir sur quoi cette mise en œuvre débouchera à horizon éloigné demeure, en tout état de cause, ouverte.

L'énergie de fusion

Selon que le système technique sera ou non en mesure de s'alimenter à une source d'énergie inépuisable, son avenir et celui de la civilisation s'inscriront dans un contexte totalement différent.

Cette source existe en principe, c'est celle de la fusion des atomes légers, mais elle n'est pas techniquement maîtrisée et tant qu'elle ne le sera pas, des doutes subsisteront sur sa faisabilité.

Dans le procédé qui est le plus accessible, on utiliserait pour cela des atomes d'hydrogène lourd — le deutérium — et de lithium. Pour cette utilisation, les réserves de lithium de la Terre seraient suffisantes pour plusieurs millénaires. À un degré de difficulté plus élevé, on peut envisager la fusion deutérium-deutérium qui repose sur des réserves illimitées. Le deutérium, en effet, est présent dans l'eau de mer à raison d'un atome de deutérium pour 1 600 molécules d'eau et il est relativement facile de l'en extraire.

La maîtrise de l'énergie de fusion pourrait inscrire l'avenir de l'humanité dans une perspective de stabilité énergétique se substituant à la pénurie dans laquelle elle commence à s'engager aujourd'hui.

Deux questions demandent examen, celle des difficultés techniques qui barrent l'accès à cette source d'énergie, celle des inconvénients qu'elle pourrait comporter en regard de ceux que comportent les sources actuelles, combustion des hydrocarbures et fission nucléaire.

Les difficultés techniques ont été constamment sous-estimées depuis plus d'un demi-siècle ; le délai envisagé pour la mise en œuvre d'une production d'énergie de fusion a reculé d'une dizaine d'années dans les années 1950 à une cinquantaine d'années aujourd'hui.

Il est important de bien comprendre la nature de ces difficultés et leurs relations avec la connaissance scientifique, d'une part, avec les technologies, de l'autre. Les fondements scientifiques du phénomène de fusion nucléaire sont connus. Pour l'obtenir, il faut porter à plusieurs millions de degrés, pendant une durée et avec une densité suffisantes, le matériau sur lequel on veut opérer la fusion : en l'occurrence un mélange de deutérium et de tritium, ce dernier étant obtenu à partir du lithium. C'est ce que l'on réalise dans le cœur d'une arme thermonucléaire en utilisant, pour obtenir les conditions de densité et de température requises, l'énergie d'une bombe à fission qui sert en quelque sorte de détonateur. C'est également ce que réalise la nature dans les étoiles dont le champ gravitationnel confine la matière. La technique ne sait pas et ne saura jamais utiliser le champ gravitationnel comme outil de confinement ; il lui faut donc trouver un substitut. Deux sont possibles : le confinement magnétique et le confinement laser.

Le premier a conduit à un dispositif expérimental susceptible de donner accès à un développement opérationnel. Le projet ITER (International Thermonuclear Experimental Reactor) pourrait, si son succès s'avérait, être la première machine à fusion qui fournira plus d'énergie qu'elle n'en consomme[1]. Ce n'est pas le phénomène de fusion proprement dit qui est à l'origine des difficultés techniques, mais le confinement par un champ magnétique du plasma de deutérium et de tritium dans lequel cette fusion se produit. Le problème n'est pas purement technique ; il met en jeu des phénomènes d'instabilité et de turbulence dans les plasmas aux confins des connaissances scientifiques disponibles. Des efforts de recherche fondamentale demeurent donc nécessaires, mais la part de ce qui est proprement technique dans les problèmes qui restent à surmonter conduit à des conclusions importantes sur la nature des efforts qui demeurent indispensables pour maîtriser cette technique.

La seconde filière utilise la concentration d'un rayonnement laser sur une cible de matériaux fusibles. Elle recourt aux mêmes matériaux que la précédente, mais les travaux la concernant sont nettement moins avancés, plus éloignés de la réalisation d'un dispositif expérimental possédant un bilan d'énergie positif, ce qui est l'objectif du projet ITER.

Que peut-on dire des inconvénients d'une filière de

---

1. Bernard Bigot et Claudie Haigneré, « Le programme ITER, une coopération intergouvernementale européenne réussie dans le domaine scientifique et technique », *Futuribles*, n° 339, mars 2008, pp. 29-43.

fusion par rapport à ceux que l'on connaît dans la filière de fission? Naturellement, on ne connaît parfaitement les inconvénients d'une filière énergétique que lorsqu'elle est en service opérationnel. Il a fallu longtemps pour qu'apparaisse — au-delà de la mort des mineurs que la société accepte trop facilement — la menace climatique globale que fait peser l'exploitation des gisements de charbon. Cependant, l'état des connaissances permet de formuler quelques certitudes. Outre le fait que les ressources en combustible sont inépuisables et d'accès facile, le fonctionnement des réacteurs à fusion ne produira aucun matériau susceptible d'entrer dans la fabrication d'armes nucléaires. La production de gaz à effet de serre est nulle. Les réacteurs sont intrinsèquement stables, à la différence des réacteurs à fission qui sont intrinsèquement instables. Aucun accident du type Tchernobyl n'est concevable. Les matériaux qui entrent dans la réaction — deutérium et lithium transformé en tritium au fur et à mesure de son utilisation — et le produit de cette réaction, l'hélium, ne sont pas radioactifs. Seuls les éléments du réacteur soumis à un rayonnement neutronique le deviendront; les masses de déchets envisageables sont sans commune mesure avec celles qu'engendrent les réacteurs à fission.

L'énergie de fusion possède donc toutes les qualités nécessaires pour assurer, à l'horizon du millénaire, l'approvisionnement en énergie primaire du système technique. Mais en l'état actuel des connaissances et des savoir-faire, elle n'est pas maîtrisée. Les difficultés de nature scientifique sont largement surmontées; il subsiste un grand nombre de problèmes d'ordre technique. Cette transition de la connaissance aux savoir-faire est importante parce qu'elle permet de passer de la concentration des efforts du petit nombre de spécialistes qualifiés qu'appelle la résolution d'un problème scientifique à la distribution des problèmes technologiques sur une communauté industrielle beaucoup plus large. Elle nécessite une montée en puissance de l'effort de développement pour peu que la volonté politique s'en manifeste.

Il est risqué d'avancer un délai pour l'apparition des premières centrales à fusion car cela dépendra beaucoup des ressources financières et humaines qui seront consacrées à faire sauter les verrous techniques et scientifiques qui subsistent. L'Académie des sciences estime à un demi-siècle le délai nécessaire pour passer du stade du réacteur expérimental ITER à une installation opérationnelle[1], sous réserve qu'un effort international de grande dimension soit organisé.

★

Que conclure de ce qui précède? La relation de la technique humaine avec les ressources matérielles de l'environnement sera, dans les siècles qui viennent, un phénomène d'une grande complexité. On peut cependant s'en former une image synthétique relativement simple.

L'épuisement des gisements minéraux exercera sur l'activité des diverses branches du système technique une tension croissante qui se traduira par la recherche de substituts aux éléments rares qui auront disparu et par l'exploitation de sources de plus en plus pauvres au prix d'une dépense croissante en énergie.

L'approvisionnement énergétique du système technique sera confronté à l'épuisement des stocks de matières carbonées qui, aujourd'hui, fournissent environ 80 % de sa consommation totale. À échéance plus brève que celle que détermine la ressource la plus abondante — le charbon —,

---

1. *La Fusion nucléaire*, Rapport cité, p. 5.

l'altération du climat peut imposer l'abandon de cette source d'énergie ou son utilisation assujettie à la capture du gaz carbonique. Au total, c'est la nécessité d'une transition majeure qui se dessine. Elle peut déboucher, selon la façon dont elle sera négociée, soit sur une société de pénurie énergétique qui se fondera exclusivement sur la capture des diverses formes d'énergie solaire, soit sur l'alternative de l'énergie nucléaire, avec les incertitudes qui s'y attachent. Moyennant le développement et le déploiement à grande échelle de surgénérateurs, les réserves d'uranium peuvent fournir un répit de l'ordre du millénaire. Pour aller au-delà, seule l'énergie de fusion offre une éventualité illimitée, mais incertaine.

Ce serait une erreur de considérer que ces perspectives inéluctables revêtiront la forme d'une catastrophe soudaine. Elles émergeront plus probablement — sauf dans l'hypothèse d'une catastrophe climatique — comme une lente succession d'événements ponctuels qui engendreront une pression croissante. S'y ajouteront, dans un monde divisé en États-nations, des tensions géopolitiques liées au changement de la distribution géographique des ressources.

Enfin, il faut garder à l'esprit que la dimension énergétique et matérielle des problèmes du futur est indissociable des autres aspects du problème planétaire et, notamment, de l'altération du climat qui détermine des échéances plus courtes que l'épuisement des ressources énergétiques fossiles.

5

L'altération du climat

L'altération anthropique du climat crée, dès aujourd'hui, une urgence qui, dans la gestion globale de la planète, lie fortement l'avenir à long terme aux actions requises à court et à moyen terme. Elle a été précédée en cela par l'altération de la couche d'ozone stratosphérique, mais les solutions qu'a trouvées ce problème n'ébranlaient pas des piliers massifs de l'économie mondiale ni les puissants intérêts qui s'y attachent. Il suffisait, en somme, de remplacer les chlofluorocarbones à l'origine du phénomène par des produits inoffensifs, opération tout à fait marginale dans l'ensemble des activités industrielles modernes. Il est seulement regrettable que, au moins dans un premier temps, on ait choisi des produits qui apportent une contribution additionnelle significative à l'effet de serre, mais cela aussi peut être corrigé. Il n'en va pas de même des sources de l'altération du climat. L'enrichissement de l'atmosphère en gaz à effet de serre est créé par différents composés au premier rang desquels on trouve le dioxyde de carbone (CO_2), et à un moindre degré le méthane. L'un et l'autre sont le produit de secteurs fondamentaux de l'activité humaine : la production d'énergie par la consommation des combustibles fossiles et la production de nourriture par l'agriculture et par l'élevage. Ce sont là, avec la destruction des forêts tropicales, les sources principales de l'altération de l'atmosphère.

Je crois inutile de rappeler ici les fondements de la prévision des climats futurs. On trouve sur ce sujet d'excellents ouvrages[1]. Si l'on veut aller aux sources, il est aisé de consulter les rapports du GIEC/IPCC et singulièrement les résumés qu'il en a établis pour se mettre au niveau de l'intelligence politique[2]. Dans une réflexion qui est tournée vers l'action, je m'intéresserai d'abord à la nature des démarches envisageables, aux objectifs que l'on peut leur assigner et aux obstacles de toute nature auxquels elles se heurtent.

L'objectif de l'action s'exprime en quelques mots : limitation de l'enrichissement de l'atmosphère en gaz à effet de serre. L'appréciation des enjeux ne se prête pas aisément à une évaluation quantitative par les méthodes classiques de l'économie. C'est cependant ce qu'a tenté de faire l'équipe dirigée par Nicholas Stern dans un rapport destiné au Premier ministre britannique. Cette démarche se heurte à une double difficulté.

En premier lieu, la prévision du réchauffement pour un niveau donné de CO_2 est affectée d'une marge d'incertitude qui tient à l'imperfection des modèles numériques de climat. Cet obstacle ne sera pas surmonté aisément dans l'avenir. Les modèles sont parvenus au point de sophistication où leurs divergences ont pour origine la prise en compte d'éléments difficilement modélisables : l'évolution de la nébulosité, de la banquise arctique et du couvert végétal. Il est tout à fait remarquable que l'on n'ait pas

---

1. John Houghton, *Global Warming. The Complete Briefing*, Cambridge University Press, 2004 ; *Comprendre le changement climatique*, sous la direction de Jean-Louis Fellous et Catherine Gautier, Paris, Odile Jacob, 2007.
2. http://www.ipcc.ch/publications_and_data/publications_and_data.htm.

sensiblement resserré la fourchette des estimations depuis les premières tentatives de modélisation dirigées par Jules Charney en 1979[1]. Pour un contenu en CO_2 de 550 ppm, soit environ 250 ppm au-dessus d'un niveau pré-industriel de 282 ppm, elles aboutissaient à une estimation comprise entre 1,5 et 4,5 °C. Ce résultat ne diffère pas de façon significative de l'estimation de l'IPCC pour un même niveau de CO_2 : entre 2° et 5 °C, sans que l'on puisse exclure des valeurs plus élevées. L'énorme croissance des puissances de calcul disponibles n'a donc pas permis de limiter la marge d'incertitude. Pour y parvenir, il faudrait être capable de mesurer les caractéristiques physiques de la surface de la Terre et de la nébulosité à l'échelle du kilomètre, d'entrer ces mesures dans des modèles numériques dotés d'une résolution du même ordre, puis de faire progresser ce modèle sur plusieurs dizaines d'années. Cela se place au-delà tant des capacités de calcul que peut fournir aujourd'hui l'informatique que des moyens d'observation spatiale qui sont actuellement déployés. Il existe donc, pour un niveau donné de concentration de CO_2, une incertitude scientifique qui affecte d'un facteur 2 à 3 l'estimation du réchauffement global. Il convient de ne pas oublier que le sens dans lequel jouera cette incertitude n'est pas connu. À cela s'ajoute l'éventualité de phénomènes climatiques brusques qui superposeraient leurs effets à la croissance continue engendrée par les rejets anthropiques. On évoque à cet égard la disparition de la banquise arctique qui diminuerait l'albédo de la Terre — la proportion de l'énergie solaire qu'elle renvoie vers l'espace — ou la libéra-

---

1. Jules Charney *et al.*, *Carbon Dioxyde and Climate : A Scientific Assessment. Report of an Ad-hoc Study Group on Carbon Dioxyde and Climate, Woods Hole Massachusetts, July 23-27 1979, to the Climate Research Board*, National Research Council (Washington, D.C., National Academies Press, 1979).

tion, par la fusion des sols gelés de la Sibérie et du Canada — les permafrosts —, d'énormes quantités de méthane qui y sont piégées.

De cette approche sommaire de l'altération du climat, on peut retenir deux choses : l'incertitude actuelle place l'avenir quelque part entre des effets déplaisants mais supportables par un effort d'adaptation (+ 2 °C) et une catastrophe globale, soit progressive, soit brutale, dont les effets seraient peu maîtrisables (+ 5 °C).

À l'incertitude qui affecte les fondements scientifiques de l'action s'ajoute la difficulté de rapprocher les coûts futurs de l'inaction des coûts présents de l'action, ce qui, comme nous l'avons vu et comme nous le reverrons, introduit la nécessité d'un choix éthique, soit qu'il confronte le bien-être des générations futures à celui de la génération actuelle, soit qu'il ignore l'impératif de survie.

L'approche économique

Il existe différentes façons d'appréhender les incertitudes pour définir une ligne d'action. Le choix qu'a fait Nicholas Stern — choix qui a pour objet de faire entrer le phénomène climatique dans le cadre d'un calcul économique — consiste à introduire la probabilité d'un certain niveau de réchauffement en fonction du niveau d'enrichissement de l'atmosphère en CO_2 (ou, plus précisément, en un facteur CO_2e qui incorpore l'effet des autres gaz à effet de serre en les ramenant à leur équivalent en CO_2)[1]. À titre d'exemple, sur la base de résultats établis par le Hadley Climate Center, le rapport Stern situe à 3 % les chances

---

1. Nicholas Stern, *The Economics of Climate Change : The Stern Review*, Cambridge University Press, 2007.

que la température moyenne augmente de 4 °C si le niveau de CO_2 est maintenu à 450 ppm, à 24 % pour 550 ppm et à 82 % s'il s'élève à 750 ppm, niveau qui serait atteint à la fin de ce siècle si la pratique actuelle, *business as usual*, est maintenue.

La vertu de cette démarche est qu'elle part d'un paramètre aisé à mesurer avec précision, le taux de CO_2e dans l'atmosphère — ou, de façon équivalente, le stock de CO_2e contenu dans l'atmosphère —, et d'une probabilité appropriée à des évaluations économiques en avenir incertain. Cette approche probabiliste de l'analyse économique n'a évidemment pas pour effet de diminuer l'incertitude fondamentale qui caractérise l'évolution du climat, mais seulement de la prendre en compte par une démarche statistique. Encore peut-on observer que, si elle est bien adaptée à la relation continue entre l'enrichissement de l'atmosphère et le réchauffement que fournissent les modèles, elle ne l'est guère à l'éventualité de voir se déclencher des événements catastrophiques si certains seuils sont dépassés.

L'irréversibilité

L'irréversibilité de l'enrichissement de l'atmosphère en gaz à effet de serre est un élément qui lie le court et le moyen terme au long terme. À supposer que l'on cesse toute émission, à quel rythme le stock atmosphérique décroîtrait-il? Autrement dit, si l'on est allé trop loin avant de prendre des mesures adéquates, combien de temps faudra-t-il pour que la situation se rétablisse? L'expérience a été faite sur des modèles numériques et ses résultats sont inquiétants[1].

1. S. Solomon, G.-K. Plattner, R. Knutti et P. Fiedlingstein, *Proceedings of the National Academy of Sciences USA*, n° 106, 2009, pp. 1704-1709.

Sur un siècle après l'arrêt des émissions, la décroissance de la richesse de l'atmosphère serait presque imperceptible. L'altération anthropique de l'atmosphère créerait donc une situation acquise à l'échelle des siècles à venir. L'idée selon laquelle il suffirait, si l'on est allé trop loin, d'agir énergiquement pour que les effets de ce débordement régressent rapidement, idée fort répandue, semble donc une idée fausse ou en tout cas douteuse, à moins que l'on n'envisage d'extraire le CO_2 de l'atmosphère, ce dont la faisabilité n'est pas avérée.

Les formes de l'action

Il existe en principe au moins trois grandes formes d'action susceptibles de combattre l'enrichissement de l'atmosphère en gaz à effet de serre.

La première et la plus évidente est de réduire les émissions, ce qui, pour l'essentiel, consiste à adapter les techniques de production de l'énergie. La deuxième est de développer un système technique capable d'extraire le gaz carbonique de l'atmosphère et la troisième, le *geo-engineering*, consiste à apporter à l'environnement atmosphérique des altérations volontaires qui produisent un refroidissement.

De ces trois approches du problème, seule la première repose sur des acquis techniques et des démarches économiques dont la maturité est suffisante pour que l'on puisse tenter de bâtir sur eux une stratégie pour le futur proche. Elle suppose soit que l'on utilise des sources d'énergie qui ne polluent pas l'atmosphère, soit que l'on piège la pollution produite pour une durée indéfinie.

Comme nous l'avons vu, les sources non polluantes se rangent en deux catégories, celles qui exploitent les énergies dites « naturelles », le rayonnement solaire, le vent, et celles qui exploitent l'énergie nucléaire, fission ou fusion. Seule la dernière, la fusion nucléaire, serait susceptible de fournir une énergie propre et inépuisable si sa technique était maîtrisée, mais sa faisabilité n'est pas définitivement établie. Les délais qu'exigerait son déploiement à grande échelle semblent incompatibles avec ceux que nous consent, à court et à moyen terme, la menace climatique. Les surgénérateurs — ou réacteurs de quatrième génération — sont techniquement plus accessibles, mais leur multiplication à une échelle globale pose de redoutables problèmes de sécurité. Restent la capture du CO_2 à la source, dans les rejets gazeux des centrales thermiques et son stockage souterrain, le recours aux intermittences des énergies « naturelles » et l'installation des réacteurs à fission dans les régions dont la stabilité politique semble compatible avec leur présence. Sauf à nier la menace climatique, une stratégie énergétique cohérente devra se plier à ces contraintes. À l'échelle du prochain millénaire, le recours à la capture du CO_2 à la source semble une étape obligée. La capacité des couches géologiques à stocker le CO_2 produit constitue une limitation ; le GIEC l'a évaluée à 2 000 giga-tonnes de CO_2[1]. En outre, le transport du CO_2, des centrales vers les lieux de stockage, constitue une contrainte qui s'impose à la conception d'un système encore mal défini. Une seule chose est certaine : l'énergie ainsi produite sera plus coûteuse que celle pour laquelle on ignore les conséquences du rejet dans l'atmosphère.

À long terme, deux visions de l'avenir peuvent se dégager de ces quelques considérations. Soit, après une difficile période de transition, l'apparition d'une source d'énergie

---

1. Rapport spécial du GIEC, Piégeage et stockage du dioxyde de carbone, 2005. http://www.ipcc.ch/pdf/special-reports/srccs/srccs_spm_ts_fr.pdf.

propre et inépuisable ouvrira une nouvelle ère technique ; c'est sur cette hypothèse que s'est appuyé W. Nordhaus pour tracer, dans le cadre d'une étude économique, une perspective temporelle illimitée. Il s'est d'ailleurs abstenu de préciser la nature de cette source, mais il n'existe pas d'autre parti concevable que la maîtrise des énergies nucléaires du futur. Soit cela s'avère impraticable, et la société passera progressivement d'une économie fondée sur l'abondance de l'énergie à une économie de pénurie énergétique définitive.

Dans ce contexte, l'extraction du gaz carbonique de l'atmosphère peut sembler, au premier abord, une démarche utopique. Elle ne se heurte pourtant à aucune impossibilité physique et sa réalisation a déjà donné lieu à la construction de dispositifs à petite échelle. On peut juger qu'il est plus logique d'extraire le CO_2 des rejets des centrales thermiques, beaucoup plus riches que l'atmosphère où ils se sont dilués, mais c'est ignorer une dimension du problème. Si la capture du CO_2 à la source peut limiter la pollution de l'atmosphère, elle ne peut aucunement le faire régresser. Dans l'hypothèse, qui n'est nullement une hypothèse d'école, où le réchauffement atmosphérique aurait des effets insupportables, faute que l'on soit intervenu à temps pour le limiter et où, en outre, on disposerait des sources d'énergie nécessaires, la nécessité de faire régresser la pollution en CO_2 pourrait s'imposer. Certes, il s'agirait là d'une tâche colossale. Le coût d'extraction d'une tonne de carbone se situe, selon les estimations, quelque part entre 100 dollars et 500 dollars. Un ensemble de 35 000 installations extrairaient de l'atmosphère 9 Gt par an, ce qui pourrait, moyennant un déploiement progressif, aboutir à capturer 650 Gt de carbone d'ici à la fin du siècle. La surface au sol de ces installations n'excéderait pas 300 km², ce qui est négligeable. Quant au coût, il serait de l'ordre de

660 milliards de dollars par an pendant un siècle ou, plus globalement, de 60 000 milliards de dollars. Une autre estimation, qui montre à quel point ces chiffres sont incertains, place le coût total à 325 000 milliards de dollars ; cela peut sembler énorme, mais ne représente cependant que 2,3 % du PIB mondial sur la même période. Reste enfin la question de l'énergie nécessaire qui doit évidemment être une énergie « propre ». L'énergie éolienne pourrait y pourvoir et ses intermittences ne seraient pas gênantes ; il faudrait disposer d'un parc de 135 000 éoliennes de 1,5 mégawatt, ce qui représente un doublement du déploiement mondial actuel.

On n'a pas dépassé aujourd'hui le stade des prototypes de laboratoire.

Ces perspectives, dont il faut souligner qu'elles ne se heurtent à aucune impossibilité physique, engendrent chez certains un vif enthousiasme, chez d'autres la crainte qu'elles ne servent d'alibi à ceux qui, par conviction et surtout pour préserver des intérêts financiers immédiats, estiment qu'il y a lieu de différer toute action de réduction des émissions.

Une démarche de mise en œuvre ne pourrait s'engager, compte tenu de l'effort nécessaire, que dans un cadre mondial. Elle demeure improbable, non seulement tant que les bases techniques et l'estimation des coûts n'ont pas été mieux assurées, mais aussi tant que la certitude de l'émergence d'une situation intolérable et irréversible n'a pas été acquise. Il y faudrait un engagement des États dans le cadre d'une coopération mondiale, ne serait-ce que parce que l'effort nécessaire excède les moyens de chacun des grands pôles économiques, mais aussi parce que l'effet d'interventions nécessairement localisées étant non moins nécessairement global, la prise en charge de l'action par un seul supposerait une dose peu commune d'altruisme.

Dans le passé, il n'y a guère que les situations d'affrontement divisant le monde en grands blocs — guerre mondiale ou guerre froide — qui ont déclenché, dans les démocraties, des engagements de l'État de cette ampleur. Il est concevable que la menace climatique et le danger qu'elle pourrait faire peser sur l'ensemble de l'humanité produisent les mêmes comportements, mais il faudrait que ses effets soient plus durement ressentis. Cela se produira un jour si rien n'est fait et la question sera alors de savoir s'il est trop tard.

Reste enfin la possibilité de modifier l'albédo de la Terre pour engendrer un effet inverse de celui que produit l'enrichissement en gaz à effet de serre.

Là non plus le stade de la réflexion et des expériences de laboratoire n'est pas dépassé. Il s'agirait par exemple de créer, au-dessus des océans, une nébulosité artificielle, ou de « blanchir » les nuages pour accroître leur pouvoir réflecteur. Ces perspectives, dont la faisabilité est loin d'être démontrée, suscitent les mêmes réserves que celles qui s'expriment à l'endroit de l'extraction du CO_2. De plus, elles consistent à modifier un système complexe dont on connaît imparfaitement les réactions. La Royal Society a consacré à ce sujet une étude approfondie dont les conclusions sont pour l'essentiel les suivantes : « Le geo-engineering est probablement faisable techniquement et pourrait réduire substantiellement les coûts et les risques du changement climatique. Cependant, toutes les méthodes de geo-engineering évaluées comportent des incertitudes majeures dans leur coût probable, leur efficacité ou les risques associés, et il est improbable qu'elles soient prêtes à être déployées dans le court et le moyen terme »; en outre, les méthodes qui ont pour effet d'altérer le rayonnement solaire reçu par la Terre « ne devraient être mises en œuvre que s'il est nécessaire de limiter ou de réduire rapidement les températures moyennes globales[1] ». On explorerait là un terrain nouveau et potentiellement dangereux, car il ne s'agirait plus de retourner vers des états antérieurs de l'atmosphère comme on le ferait avec la capture du CO_2, mais d'explorer des effets pour lesquels aucun précédent n'existe. Agir ainsi sur un système climatique dont les réactions sont imparfaitement connues réserverait des surprises. On pourrait, par exemple, du fait d'une action délibérée de l'homme, causer des déplacements des zones de sécheresse qui entraîneraient des tensions géopolitiques. La question des responsabilités se poserait alors et de façon différente et beaucoup plus aiguë que dans le cas de l'effet de serre où pourtant elle est fréquemment évoquée. Enfin, l'intervention aurait des effets limités dans le temps ; il faudrait poursuivre l'action indéfiniment. La Terre serait comme un malade dont la vie n'est rendue supportable que par un traitement symptomatique sans cesse renouvelé. Il ne pourrait s'agir, à supposer que la faisabilité s'avère, que d'un expédient temporaire destiné à affronter une situation d'urgence.

Menaces et réactions

L'altération du climat menace l'espèce humaine en rendant ses conditions de vie inconfortables, voire intolérables. L'homme a les moyens de s'adapter, dans certaines limites, et cette démarche d'adaptation, compte tenu de la situation qui est déjà atteinte, fait partie des efforts qui sont requis à court terme. Mais l'altération du climat touche l'ensemble des espèces vivantes dont dépend la survie de

---

1. *Geoengineering the Climate. Science, Governance and Uncertainty*, Londres, The Royal Society, Excellence in Science, 2008, p. 57.

l'homme parce qu'elles lui fournissent la nourriture, et dont dépend aussi l'image du monde où nous vivons. La rapidité sans précédent de l'évolution des biotopes exclut une adaptation naturelle des biocénoses. On doit donc s'attendre à une atteinte massive à la diversité biologique si le contrôle de l'évolution climatique n'est pas assuré. On doit aussi s'attendre, par la montée des océans, à une réduction des territoires situés à basse altitude au voisinage de la mer. Or ces territoires constituent les habitats préférés de l'homme et hébergent de nombreuses mégapoles en croissance rapide.

Je reviendrai plus loin sur les mécanismes de réaction de la société à la menace climatique qui n'est qu'une menace parmi d'autres. Je me bornerai, à ce stade, à relever les caractères distinctifs de cette menace.

D'abord, la combinaison entre le caractère local des causes et le caractère global des effets. L'atmosphère est un « bien commun » qui n'est strictement pas susceptible d'être divisé et qui, de ce fait même, ne peut en aucune manière être privatisé. À la différence de *commons* anglais qui servent parfois de référence à la réflexion, toute atteinte locale, pour peu qu'elle injecte des produits dont le temps de résidence est long, propage uniformément ses effets à la totalité du fluide atmosphérique. Mais, si l'atteinte à la composition de l'air est uniforme, ses effets ne le sont pas. Il existe des différences dont certaines sont assez bien connues. Les modèles montrent que le réchauffement affecte les zones polaires plus fortement que les zones de basse latitude. On pourrait être tenté de considérer que c'est là un caractère favorable s'il ne s'accompagnait de deux conséquences. La disparition rapide de la banquise arctique a pour effet d'augmenter la quantité d'énergie solaire reçue par la Terre et donc d'accélérer le réchauffement. En effet, la banquise renvoie vers l'espace 50 à 70 %

de l'énergie qu'elle reçoit, tandis que la mer libre n'en renvoie que 5 à 10 % seulement. Par ailleurs, la fusion de la glace d'eau douce accumulée depuis la dernière glaciation dans les inlandsis du Groenland et de l'Antarctique contribue à la montée du niveau des mers. À cela s'ajoutent la fusion du permafrost et la libération du méthane qu'il contient, en même temps que la disparition de nombreuses espèces animales et végétales des régions de haute latitude. Plus discret, moins bien connu, est le déplacement des zones de sécheresse. Il est susceptible d'affecter à la fois la production alimentaire globale et l'équilibre nutritionnel de grands bassins de population dans des régions peu développées, avec les conséquences que cela peut comporter sur les flux migratoires. C'est l'un des enjeux du perfectionnement de l'observation et des modèles que d'accéder à une prévision locale des effets climatiques qui ne se bornerait pas à la température, mais qui atteindrait également la carte des précipitations. Ces effets sur le cycle de l'eau, dont l'importance est capitale, sont encore mal prévus mais surtout mal observés. Il n'existe pas encore de système d'observation spatiale qui étende de façon permanente aux océans, c'est-à-dire à 70 % de la surface du globe, les maigres observations pluviométriques que l'on obtient sur les continents.

Enfin, il existe une dimension du changement climatique souvent évoquée, potentiellement redoutable, mais sur laquelle on sait encore peu de chose, c'est l'augmentation de la fréquence et de l'intensité des phénomènes violents : cyclones, tempêtes, tornades et pluies torrentielles. Une réflexion sommaire conduit à affirmer que, dans la mesure où l'atmosphère piège une quantité accrue d'énergie, ces tendances vont se manifester. Les médias ne manquent pas d'assigner au changement climatique la survenue d'événements exceptionnels comme le cyclone Katrina qui a dévasté La Nouvelle-Orléans. En fait, dans le cas particulier des cyclones, la courte série d'observations exhaustives dont on dispose depuis l'apparition des satellites d'observation ne montre aucune tendance marquée. Elle porte d'ailleurs sur un ensemble d'événements trop réduit pour fonder une statistique solide et les quelques tentatives de modélisation numérique ne montrent pas non plus de tendance très marquée. En telle matière, la prudence s'impose et il est un peu surprenant de lire, sous la plume de Nicholas Stern, comme un résultat acquis à l'appui de ses démonstrations, que « 300 millions de personnes sont exposées aux cyclones dont on s'attend qu'ils deviennent plus intenses[1] ». Il me semble dangereux, pour la crédibilité d'une démarche économico-politique, de l'appuyer sur des éléments que la démarche scientifique n'a pas — ou pas encore — solidement établis.

Il est vrai que l'une des grandes difficultés que rencontrent ceux qui désirent motiver l'opinion publique, et par là même pousser les milieux politiques à l'action, est la faiblesse des effets sensibles de l'altération climatique dans la zone tempérée où se trouve rassemblé l'essentiel de la puissance économique et politique. Les effets les plus visibles se manifestent dans les zones de haute latitude mais, pour l'électeur moyen des pays développés, ce sont là des phénomènes trop lointains pour qu'il se sente concerné au point de leur donner le pas sur des préoccupations plus immédiates. Les attitudes de déni auxquelles se livrent certaines parties dont les intérêts financiers sont en jeu, et auxquelles certains scientifiques en quête d'une notoriété douteuse ont cru devoir se joindre, sont naturellement de nature à accroître les flottements de l'opinion et les incertitudes de la classe politique.

1. N. Stern, *The Economics of Climate Change, op. cit.,* p. 30.

*

L'altération du climat, qui fait peser une lourde hypo-
thèque sur le destin à long terme de l'humanité, appelle
aussi des actions énergiques à court et à moyen terme. Elle
fournit à la société dans ses profondeurs la première expérience concrète des limites de la planète. À maints égards,
cette expérience est exemplaire, d'abord parce qu'elle est
globale. Nul ne pourra échapper à ses effets. Il existe,
comme je l'ai dit, des différences dans l'intensité régionale
des atteintes, mais ces différences sont partie intégrante
du phénomène global; elles ne relèvent pas du pouvoir
humain; tout au plus peut-on tenter de les observer et de
les prévoir avec une précision croissante. Certes, les moyens
de se protéger du réchauffement sont aussi inégalement
répartis que l'est la richesse. Transformer l'habitat et
consommer de l'énergie pour assurer sa climatisation sont
plus accessibles aux pays riches qu'à ceux dont la population côtoie la misère. Mais cela ne change rien au caractère
mondial du phénomène climatique.

Par ailleurs, si le phénomène est mondial, les responsabilités dans son émergence sont très inégalement réparties.
On peut considérer, en première approximation, que le
tiers monde n'y est pour rien et que la responsabilité
incombe en totalité aux pays développés. Mais les pays qui,
comme la Chine, sont en développement rapide, et qui
veulent rejoindre le niveau de vie occidental, sont passés,
en quelques décennies, d'une catégorie à l'autre. Cette
imbrication de la dimension globale du phénomène et du
caractère local des responsabilités se retrouve dans d'autres
domaines, mais les caractères de cette division ne sont
nulle part aussi marqués et perçus que dans le domaine du
changement climatique. Dans la dimension temporelle, le

climat combine également à un degré élevé l'urgence de l'action à court terme et les enjeux à horizon lointain.

On peut craindre que la façon dont la société humaine, qui demeure profondément divisée, répondra à ce défi ne préfigure son attitude à l'endroit des problèmes que lui poseront, à plus long terme, les autres contraintes de la finitude.

6

L'air, l'eau douce, la nourriture et la vie

Une infinité de familles meurent de faim et de déses-
poir : vérité constante, publique, assurée.

BOSSUET, *Sermon sur le mauvais riche*, 1662.

Trois substances sont indispensables à la vie de l'animal
humain : l'air et l'eau douce que lui fournit la Terre et la
nourriture qu'il tire du règne vivant.

L'air dans lequel il est immergé de sa naissance à sa mort
alimente sa respiration depuis les premières secondes de sa
vie jusqu'à son dernier souffle. Il le rejette, un peu enrichi
en dioxyde de carbone, mais sans pollution notable. Les
pollutions industrielles qui affectent l'atmosphère n'ont
elles non plus, sauf exception locale, aucun effet majeur
sur son caractère respirable. On a établi, depuis quelques
décennies tout au plus, un suivi de la qualité de l'air dans
certains pays développés mais, si les pollutions que l'on
mesure — ozone, dioxydes de soufre et d'azote — peuvent
avoir une influence sur la santé de la population, elles n'en
menacent cependant pas l'existence. Quelque niveau que
puisse atteindre la population de la planète, l'air respirable
ne lui fera pas défaut même si des mesures locales devront
être prises, et le sont déjà, pour contrôler les rejets gazeux

du système technique, en particulier dans les grandes villes. Les polluants qui affectent directement la santé humaine n'ont qu'un temps de résidence limité dans l'atmosphère et il est donc facile de tarir le mal à sa source comme on l'a fait à Londres en proscrivant le chauffage au charbon et aux États-Unis dans le cadre juridique du *Clean Air Act*. Il en va tout autrement, nous l'avons vu, des polluants qui altèrent le climat — les gaz à effet de serre — ou qui, en détruisant l'ozone stratosphérique comme les chlorofluorocarbones, augmentent la transparence de la stratosphère aux rayons ultraviolets.

Les rejets de certains polluants comme le dioxyde de soufre dans l'atmosphère ne sont pas sans effets sur la couverture végétale. Ils retournent à la terre, dissous dans les « pluies acides » qui provoquent le dépérissement des forêts.

Mais, à l'exception des gaz à effet de serre, le contrôle des diverses sources de pollution ne se heurte à aucune difficulté et à aucun obstacle technique majeurs. Sans nous attarder sur cette question sur laquelle on a beaucoup écrit, nous pouvons considérer qu'à long terme rien ne menace la disponibilité de l'air respirable pour tous les hommes.

L'eau douce

À la différence des autres corps du système solaire, la Terre est une planète exceptionnellement riche en eau, mais cette eau est pour l'essentiel de l'eau salée contenue dans les océans, impropre à être bue par l'homme ou à arroser les sols agricoles. Notons au passage que le sel qu'elle contient et que l'on extrait par évaporation dans les marais salants est l'unique ressource minérale qui occupe une place dans l'alimentation humaine. Il donne aux aliments leur saveur. Les rois avaient bien compris ses vertus, qui le frappaient d'un impôt spécifique, la gabelle, premier exemple d'un monopole étatique. Le sel fut aussi, avant l'apparition des techniques du froid, un moyen essentiel de conserver durablement les aliments périssables. 97,2 % de l'eau de la Terre est contenue dans les océans qui couvrent 70 % de la surface de la planète. Des 2,8 % d'eau douce, 1,8 % est sous forme de glace, pour la plus grande partie dans l'inlandsis antarctique. L'eau douce liquide (0,9 %) réside en grande partie dans les nappes souterraines. Une faible fraction (0,02 %) forme les eaux de surface, lacs et fleuves, et l'atmosphère contient, sous forme de vapeur et de nuages, environ 0,001 % de la masse totale.

L'eau atmosphérique joue deux rôles essentiels dans le système naturel. Elle engendre la plus grande partie de l'effet de serre naturel sans lequel notre planète serait un monde glacé et elle établit le cycle de l'eau. Ce cycle commence avec l'évaporation des océans sous l'effet du rayonnement solaire, se poursuit avec le transport de l'eau par les mouvements de l'atmosphère et s'achève avec la pluie qui fait revenir l'eau atmosphérique soit vers l'océan, soit vers les continents où elle alimente les nappes phréatiques et les réseaux hydrographiques qui débouchent dans la mer.

Le cycle de l'eau établit une relation capitale entre l'approvisionnement en eau douce et l'altération du climat. Il est connu depuis bien longtemps que la distribution des pluies à la surface des continents est très inégale. D'où l'existence de déserts, de zones arides et de zones abondamment arrosées où se sont établies les forêts équatoriales. Cette dimension du climat a induit une adaptation des populations animales et végétales et des agricultures. Toute altération du climat modifiant la distribution de la pluviosité est susceptible d'engendrer des désadaptations catastrophiques, que ce soit par carence ou par surabondance de précipitations.

Lorsque l'on examine les questions que pose l'accès à l'eau à long terme, c'est de l'eau douce qu'il s'agit. Encore faut-il distinguer l'eau potable de l'eau utilisable pour les besoins de l'agriculture.

L'eau est beaucoup plus vulnérable que l'air à plusieurs formes de pollution qui la rendent impropre à l'un ou à l'autre usage. L'homme, qui consomme de l'air pour sa respiration, le rejette sous une forme altérée, mais encore respirable. Au contraire, alors qu'il restitue en totalité l'eau potable qu'il a consommée, il le fait sous des formes polluées et impropres à l'alimentation.

L'eau est un solvant qui peut dissoudre des substances diverses, organiques ou minérales, substances naturelles ou produits de l'industrie humaine. Les eaux minérales dont la commercialisation est autorisée contiennent jusqu'à deux grammes de sels minéraux qui contribuent aux apports dont l'organisme a besoin. Mais l'industrie et l'agriculture manipulent de grandes quantités de métaux dits « lourds » comme le plomb ou le chrome, de sels comme les nitrates et les phosphates et de substances organiques toxiques. Ces substances sont susceptibles de polluer les eaux de surface aussi bien que les nappes souterraines et même les zones côtières de l'océan. La prolifération des algues vertes sur les côtes bretonnes en est un effet. En l'absence de précautions adéquates, il est aisé de polluer les eaux douces de façon plus ou moins durable, voire de façon définitive dans le cas des nappes souterraines et des lacs. L'eau douce est alors rendue impropre à la boisson ou même à l'irrigation des cultures.

En outre, l'eau liquide est un milieu où se développe la vie sous diverses formes : bactéries, protozoaires, vers. Une longue cohabitation de ces espèces avec les formes supérieures de la vie terrestre a permis le développement de nombreux cycles parasitaires qui, souvent, sont redou-

tables. À titre d'exemple, la bilharziose, due à un tréma-
tode, se contracte par simple baignade dans des eaux infes-
tées. Elle affecte 180 millions d'individus et entraîne
280 000 décès par an. À long terme, la survie de l'humanité
est évidemment liée à la satisfaction des besoins en eau des
populations. Mais ce problème, que l'on peut exprimer de
façon globale, ne présente cependant pas le même caractère de globalité que le contrôle du climat; les actions
requises ne sont pas de même nature. Alors que toute
action sur le climat exerce des effets globaux et appelle par
conséquent une mobilisation globale des ressources dont
dispose l'humanité, il n'en va pas de même des ressources
en eau.

À climat constant, la répartition de ces ressources entre
les zones géographiques, bien que sujette à des fluctuations
d'une année à l'autre, est stable en moyenne dans le temps.
Les populations humaines et les biotopes lui sont profondément adaptés. Certes, les fluctuations interannuelles
sont susceptibles de provoquer des famines comme celles
qui ont marqué le règne de Louis XIV et qui sont, de nos
jours, fréquentes dans les pays sous-développés. Mais ces
fluctuations, par nature, n'induisent pas de désadaptations
durables. Il en va tout autrement de l'altération du climat.
Elle peut engendrer une évolution de la répartition des
précipitations beaucoup plus redoutable encore que la
montée des températures. La connexion du problème
de l'eau avec le problème du climat est complexe. On
ne sait pas si le volume total des précipitations sera modifié, mais on a toute raison de craindre que leur répartition
géographique ne se transforme, déplaçant les zones de
stress hydrique et créant dans certaines régions des situations catastrophiques. Par ce biais, beaucoup plus encore
que par l'élévation de la température moyenne, et sans
que l'on sache établir des prévisions précises et fiables du

phénomène, l'évolution du climat se couplera, par l'intermédiaire de la ressource en eau, avec l'évolution démographique et avec les pressions migratoires.

Ainsi, on peut craindre que, dans le Maghreb, la frontière du désert ne remonte vers la mer Méditerranée, induisant une pression migratoire irrésistible vers le Nord. Plus généralement, la variation du climat sera source de migrations dans un monde où les populations touchées n'ont nulle part où aller. Il n'en était pas ainsi aux époques préhistoriques où les tribus humaines s'adaptaient aux évolutions climatiques séculaires en se déplaçant, mais la distribution des territoires est maintenant bloquée et le sera de plus en plus dans les décennies qui viennent.

Quant à la croissance démographique, elle met localement sous une tension accrue des zones qui, comme le Proche et le Moyen-Orient, sont déjà proches de la pénurie hydrique. On classe en situation de stress hydrique les zones où la ressource en eau est inférieure à 1 700 m^3 par an et par habitant, tous usages confondus. Ce seuil peut être atteint soit par une variation du climat, soit par une augmentation de la population.

Une autre dimension du problème de l'eau réside dans le fait qu'à la différence des autres ressources vitales qui sont soit géographiquement fixes comme les terres cultivables, soit omniprésentes comme l'air, l'eau circule dans des réseaux hydrographiques qui ignorent les frontières. Les nappes souterraines se déploient en dessous de ces mêmes frontières. Aussi cette ressource essentielle à l'agriculture et à l'élevage peut-elle être détournée ou tarie par un pays situé en amont, ce qui est propre à susciter des tensions politiques. C'est ainsi qu'Israël capte une grande partie des eaux du Jourdain qui alimentent les Territoires palestiniens et la Jordanie, cependant que le Liban et la Syrie captent des affluents du Jourdain. Les États-Unis agissent de même avec les eaux du Colorado en amont du Mexique. Ces tensions seront d'autant plus promptes à se manifester et d'autant plus aiguës que les pays concernés seront en état de stress hydrique. Compte tenu de la croissance de la consommation d'eau qui s'observe aujourd'hui, l'ONU (Conseil mondial de l'eau) estime que la pénurie d'eau affectera près de la moitié de la population mondiale d'ici 2030. Cela signifie que nombre de pays seront confrontés, vis-à-vis de leurs voisins, à un choix entre conflit et coopération. Il ne s'agit pas d'un problème du long terme mais d'un problème du court et du moyen terme. Il est susceptible de contribuer au désordre de la société en augmentant la fréquence des conflits. Il interfère avec d'autres problèmes planétaires qui concernent le long terme et l'évolution vers une société stationnaire. Ces interactions qui contribuent à structurer le système sociétal global sont aisées à identifier.

Au premier rang vient la question de la production de nourriture qui, par l'agriculture et l'élevage, absorbe 70 % de la ressource en eau. Ce couplage entre deux ressources fondamentales renvoie à l'évolution démographique.

La composante industrielle du système technique absorbe environ 20 % de la ressource en laissant 10 % aux utilisations domestiques. Naturellement, ce sont là des chiffres globaux par rapport auxquels existent des écarts locaux considérables selon que l'on considère une zone d'agriculture intensive, une zone industrielle ou une mégapole.

L'alimentation des mégapoles pose un problème particulier qui peut recevoir une solution spécifique par le dessalement de l'eau de mer. Les mégapoles, dont la croissance et la multiplication constituent un élément important de l'évolution démographique, se situent fréquemment à proximité de la mer. Il y a des exceptions, comme Mexico ou São Paulo, mais, dans nombre de cas, elles s'installent près du littoral, sur des zones de très faible altitude, ce qui, accessoirement, les rend vulnérables à une montée des océans. Mais, si l'on recourt à la technique du dessalement, le problème de l'eau s'articule à celui de la disponibilité d'énergie. Ce n'est pas un hasard si cette technique est largement utilisée dans les pays pétroliers — Émirats arabes et Arabie saoudite — qui manquent d'eau douce mais qui disposent, au moins pour un temps, d'une ressource énergétique abondante.

La nourriture

L'homme se nourrit exclusivement du vivant. Il emprunte soit au monde végétal, qui puise directement au dioxyde de carbone de l'atmosphère et aux éléments minéraux du sol, soit aux animaux, qui lui fournissent des protéines et des graisses et qui, eux-mêmes, consomment des matières végétales ou animales. L'énorme masse de la population humaine repose donc, pour sa survie, sur la pyramide du vivant. Si l'on fait l'hypothèse — évidemment controuvée — que tous les hommes ont un accès égal à la nourriture, il devient évident que la consommation est proportionnelle à l'effectif total de l'humanité.

Mais cette situation idéale est bien loin, chacun le sait, de la réalité. Dans le monde actuel, d'après la Food and Agriculture Organization qui est une agence de l'ONU, sur 6,5 milliards d'êtres humains, 800 millions sont en état de sous-nutrition et 25 000 individus meurent de faim chaque jour. Vingt-cinq mille morts chaque jour, dix millions de morts chaque année, comment cette « vérité constante, publique, assurée » peut-elle s'installer — et s'aggraver du fait de l'inflation démographique — dans l'indifférence et l'ignorance générales ? De nouveau, ce n'est pas un problème du long terme, mais c'est l'un de ceux qui barrent l'accès au long terme.

Plusieurs milliards d'hommes souffrent de carences diverses en éléments minéraux et en vitamines. La santé d'une fraction importante de l'humanité est lourdement affectée par une pénurie de nourriture allant jusqu'à la famine. À l'autre extrémité du spectre, la suralimentation affecte une fraction de la population des pays développés, entraînant une banalisation de l'obésité, d'abord aux États-Unis, puis de façon croissante en Europe. Il semble bien que l'organisme humain ne soit pas mieux adapté, par l'évolution qui l'a formé, à la surabondance qu'à la carence d'aliments.

La société actuelle réalise ainsi cette performance de combiner la sous-alimentation d'une fraction importante de la population avec la suralimentation d'une autre. Cette inégalité devant les besoins du corps ne marque pas exclusivement la frontière entre pays développés et pays sous-développés, elle s'établit également à l'intérieur des pays développés, comme en témoignent les structures d'assistance — soupes populaires, restaurants du Cœur — qui tentent tant bien que mal de la pallier.

Vulnérabilités du système alimentaire

Il y a deux façons d'examiner la capacité du système alimentaire à nourrir l'humanité. La première est de rapprocher sa production globale du volume total des besoins. La seconde est d'examiner les systèmes techniques propres à distribuer cette production depuis les zones qui la produisent vers les zones qui la consomment.

De nouveau, ce n'est pas seulement un problème du long terme mais, à moins que l'on ne considère la faim dans le monde comme une regrettable nécessité, c'est aussi un problème du court et du moyen terme. Le besoin de production est indissociable de celui de l'évolution de la population totale à moyen terme. J'y reviendrai dans un prochain chapitre. À supposer que le rythme de la croissance démographique continue à s'infléchir comme il le fait depuis une décennie, toutes les études convergent pour estimer que l'effectif total de l'humanité atteindra, dans le meilleur des cas, un maximum de 9 milliards aux environs de 2050. C'est donc en gros à une augmentation de 50 % de la production qu'il faut pourvoir pour maintenir le niveau actuel des ressources par individu, et cela dans l'hypothèse où les habitudes alimentaires ne se modifient pas.

Le problème est aggravé par le goût croissant des populations qui accèdent au développement pour les protéines animales plutôt que pour une alimentation végétale. C'est le cas, par exemple, de la population chinoise. Or les protéines animales sont produites en nourrissant des animaux principalement avec du grain. On estime que la conjonction de ces deux facteurs, croissance de la population et pourcentage croissant des protéines animales dans l'alimentation, va multiplier la demande de viande par un facteur 2 à 3. Il est vrai que cette demande est partiellement artificielle. Paul Roberts relève que « l'Américain moyen consomme environ 9 onces (255 grammes) de viande par jour, près de quatre fois la ration recommandée par le gouvernement, ce qui est un facteur probable du taux US d'obésité[1] ». Conséquences quelque peu bouffonnes de

---

1. Paul Roberts, *The End of Food. The Coming Crisis in the World Food Industry*, Londres, Bloomsbury Publishing Plc, 2008, p. 207.

cette épidémie, les compagnies aériennes ont dû relever leur estimation de la masse moyenne du passager et l'industrie réviser la taille de ses cercueils. Plus sérieusement, on s'attend à ce que l'espérance de vie de la population américaine, après une longue période de croissance continue, aille décroissant dans les années qui viennent en raison des conséquences néfastes de l'obésité sur l'état de santé. Mais, que cette demande excessive de nourriture soit génératrice d'effets indésirables ou non, elle n'en constitue pas moins une demande qui, dans une économie libérale, doit être satisfaite si elle peut être source de profit. La difficulté est que l'on ne voit guère d'où pourraient provenir les céréales nécessaires pour produire toute cette viande. Et Paul Roberts de conclure que dans un « système alimentaire futur qui soit à la fois soutenable et équitable, les régimes occidentaux riches en viande, et spécialement celui des États-Unis, ne pourront pas fonctionner à une échelle globale ». À cela s'ajoute la production d'éthanol comme carburant qui tend à accroître la pression sur la demande ; elle utilise actuellement 30 % de la production de maïs des États-Unis.

L'objectif n'est pas ici, je le rappelle, de proposer des solutions à court et moyen terme, mais d'aborder le long terme. Identifier les problèmes du présent et du futur proche est cependant utile et inévitable pour plusieurs raisons. D'abord, parce qu'il faudra bien, pour s'ouvrir la voie d'un avenir plus lointain, surmonter les obstacles immédiats ; s'ils conduisent à un collapsus dans un avenir proche, toute réflexion sur le long terme s'en trouve obérée. Ensuite, parce que le moyen terme permet d'identifier les connexions d'un problème spécifique, celui de l'alimentation par exemple, avec d'autres, en particulier avec celui de l'énergie pour fabriquer les produits azotés nécessaires à l'agriculture. On estime que 40 % de la population mondiale dépendent aujourd'hui de la production de produits azotés synthétiques. Je souligne au passage qu'il n'est pas possible, pour satisfaire aux besoins du vivant, de substituer un élément à un autre comme on peut le faire dans les artefacts techniques. On a pu substituer le silicium au germanium dans les artefacts électroniques, mais lorsque le vivant réclame du phosphore, c'est du phosphore et rien d'autre.

Le partage des produits de l'agriculture entre l'alimentation et la production de carburants pour les véhicules, que ceux-ci soient utilisés pour le transport des hommes, des marchandises ou pour l'agriculture elle-même, crée un couplage de la production de ressources alimentaires avec les besoins énergétiques. Une autre connexion existe avec les pollutions de l'environnement engendrées par l'usage excessif des pesticides et des engrais qui s'accumulent dans les sols et qui polluent les lacs et les rivières. Enfin, la production de nourriture est inséparable du problème de l'eau qu'il faut fournir aux cultures. La consommation croissante de protéines animales contribue à l'aggraver. Alors qu'il faut 1 160 litres d'eau pour produire 1 kilo de blé, il en faut 13 500 pour la même quantité de viande de bœuf. Aussi Paul Roberts relève-t-il que si le niveau de consommation de viande des Américains — 217 livres par personne et par an — était étendu à toute la planète, la récolte totale de grains ne pourrait nourrir que 2,6 milliards d'individus, moins de 40 % de la population actuelle. D'autres connexions existent avec la déforestation et, naturellement, avec l'altération du climat.

La composante production du système alimentaire se heurte donc dès aujourd'hui à un problème quantitatif. Pourra-t-il produire suffisamment pour alimenter la population humaine actuelle et celle qui est prévue dans les prochaines décennies, et cela même si l'on fait l'hypothèse, nécessairement implicite parce que honteuse, qu'une fraction importante de la population sera maintenue en état de sous-alimentation.

En regard de la capacité du système de production alimentaire à fournir les quantités nécessaires, on doit examiner celle du système technique à distribuer cette production sur les lieux de consommation, mais également à produire et à acheminer vers les lieux de production les substances dont l'agriculture a besoin.

Il est important de savoir si le système alimentaire, dans toutes ses dimensions, est robuste ou si, au contraire, il est vulnérable à une perturbation qui pourrait le déséquilibrer et engendrer une catastrophe alimentaire. L'alimentation de la planète est assurée par ce système qui est à la fois complexe et global. Il ne relève, en revanche, d'aucune intention globale. Il a été façonné, pour reprendre de nouveau les termes de Paul Roberts, « par la plus brutale et la plus efficace des forces humaines : le marché ». Les démarches pour contrôler ses faiblesses dans le court et le moyen terme ne relèvent pas non plus d'une conception globale ; elles tendent à se focaliser sur des aspects partiels, pénurie d'eau, d'énergie, d'engrais chimiques, sans que le rôle dominant du marché permette d'aborder de façon synthétique l'ensemble de ces facteurs et de leurs interactions. Encore moins de se fixer des objectifs à long terme.

Le système de transport joue un rôle capital dans la distribution des produits alimentaires parce que, pour des raisons de compétitivité financière, ils sont systématiquement produits là où le coût de production ajouté au coût du transport est le plus bas. C'est un effet des forces du marché associées à l'absence de tout acteur susceptible de les infléchir. Ainsi s'établit un système extrêmement complexe dont le comportement, en l'état actuel des choses, est largement imprédictible et qui échappe à tout contrôle global. Ne sont possibles que des actions à la marge comme celles qui remédient tant bien que mal aux crises alimentaires dont s'accompagnent les conflits locaux dans le tiers monde. Nul ne sait vraiment comment ce système global réagirait à une perturbation majeure et quelles sont les marges de stabilité dont il dispose.

Quels sont les remèdes aux dangers de la situation actuelle ? L'un, qui est passablement fallacieux, est la croyance en quelque « remède miracle » qui accroîtrait considérablement la capacité de production. C'est une version particulière du credo plus général selon lequel l'évolution technologique résoudra les problèmes du futur. De nouveau on cherche dans le passé des raisons d'espérer pour l'avenir. Ce passé offre un exemple qu'il est tentant d'extrapoler : la révolution verte.

La révolution verte est une augmentation massive des rendements de l'agriculture dans les pays en développement ou peu développés. Elle a été engagée au Mexique, au début des années 1940, par la fondation Rockfeller qui a agi en étroit accord avec le gouvernement mexicain. Elle s'est étendue ensuite à de nombreux pays en développement ou sous-développés, notamment en Inde et en Asie du Sud-Est. Son histoire est bien connue et a donné matière à de nombreuses analyses critiques. Sa base scientifique est le produit de recherches scientifiques intervenues entre les deux guerres mondiales et mises en application après la Seconde. L'outil principal est la sélection variétale pour l'obtention de semences dotées d'un génome performant. Il s'agit, en somme, d'un eugénisme appliqué, avec les moyens de l'époque, aux cultures vivrières. Cependant, cette démarche s'est accompagnée d'autres composantes caractéristiques de la culture intensive : recours massif aux pesticides, aux herbicides et à l'irrigation, usage de la motorisation des matériels agricoles. Une très forte augmentation de la production de certains pays en a été l'effet : l'Inde a multiplié par dix sa production de blé et par trois sa production de riz, le Mexique est devenu, pour un temps, exportateur de blé. De la sorte, malgré la croissance démographique, la fréquence et l'étendue des famines ont régressé. Il s'agit donc, lorsqu'on se tourne vers le passé, d'un véritable « remède miracle » au problème de la production alimentaire. Inévitablement, la mise en œuvre de ce remède s'est accompagnée d'un certain nombre d'effets indésirables. Pour ce qui nous occupe, les couplages avec les ressources énergétiques et avec les ressources en eau sont les plus importants. La révolution verte s'accompagne d'une croissance de l'énergie absorbée par le processus de production ; 30 % de cette énergie sont consommés par la production d'engrais et d'herbicides, ce qui crée une relation entre le coût de l'énergie et le coût des produits alimentaires. Par ailleurs, la mise en œuvre des méthodes de l'agriculture intensive se heurte, dans les régions pauvres en eau, à la pénurie de cet élément. Il existe enfin des effets sociaux, augmentation de la taille des exploitations, exode rural, sur lesquels je ne m'attarde pas, sinon pour relever que s'est créée, à l'échelle mondiale, une dépendance vis-à-vis des producteurs de semence. Il s'agit en particulier de la firme Monsanto qui opère, sous la protection des brevets qu'elle détient, dans une situation de quasi-monopole mondial.

L'inégalité dans l'accès à la nourriture n'a pas été réduite par cette révolution et la fréquence de la malnutrition chronique n'a pas subi la même réduction que la fréquence des famines. Cependant, toutes choses considérées, la révolution verte présente un bilan nettement positif.

Ce miracle peut-il se renouveler à l'horizon de 2050 et fournir à la production agricole la capacité de satisfaire les besoins d'une population mondiale qui, dans le meilleur des cas, augmentera de 50 % par rapport à son niveau actuel ? Il est toujours tentant, mais dangereux, de concevoir le futur comme une extrapolation du passé, en l'occurrence comme une nouvelle révolution prenant le relais de celle des années passées. Cependant, les fondements scientifiques d'une telle extrapolation ne font pas défaut. On est passé en un demi-siècle de la sélection variétale à la manipulation génétique et à la production de variétés « transgéniques ». Un quart des cultures de maïs et plus de la moitié des cultures de soja dans le monde utilisent des semences transgéniques. On a créé des espèces capables de se défendre, sans l'aide des pesticides, contre les insectes parasites. Aussi bien, on ne peut guère prendre au sérieux, sur des bases scientifiques, l'opposition idéologique qui se manifeste, particulièrement en Europe, à la mise en œuvre de ces techniques. La perspective d'augmenter le rendement des terres à maïs du Middle West américain et de le porter à deux cents, voire à trois cents, boisseaux par acre semble réaliste. Le cœur du problème est de savoir si cette progression pourra être étendue, dans des pays moins riches, à des terres plus pauvres ; s'il sera possible de fournir en quantités suffisantes les intrants chimiques — engrais synthétiques, herbicides — qui demeurent nécessaires. Un autre aspect des conséquences de cette évolution technique est la mondialisation sans cesse accrue du système de production alimentaire. C'est un effet du pouvoir que détiennent les grands acteurs du système de production et de distribution alimentaire qui en tirent un profit accru.

Il ne fait guère de doute que la capacité totale de production alimentaire peut encore augmenter sous réserve que les ressources énergétiques nécessaires demeurent disponibles, mais cela se fait au prix d'une globalisation du système de production et de la concentration du pouvoir d'agir sur quelques firmes. Une telle évolution crée cette vulnérabilité à des perturbations qui est le propre d'un système complexe. Si sous l'effet d'une tension imprévisible ce système se trouvait poussé hors de son domaine de stabilité, il en résulterait une crise mondiale dont les premières victimes seraient naturellement les pays les plus pauvres.

Enfin, on peut tirer de l'extrapolation des phénomènes du passé des leçons autres que positives. Toute technique trouve un jour ses limites en deçà desquelles ses progrès, après avoir ralenti leur rythme, s'arrêtent. Il a fallu un siècle pour que les progrès de la machine à vapeur atteignent cette limite; mais alors d'autres techniques — moteur à explosion, turbines — ont pris le relais. Il est tentant de transposer ce modèle à tous les domaines de l'activité technique et en particulier à la production de ressources alimentaires. Mais la production alimentaire a ceci de particulier qu'elle s'appuie en totalité sur un système qui n'a pas été créé par l'homme, le système de la vie. On peut certes le modifier pour l'adapter à nos besoins, comme on l'a fait depuis les époques lointaines avec l'agriculture, la domestication des animaux puis avec la sélection variétale et aujourd'hui avec la manipulation génétique. Mais on ne peut en créer un substitut. Sauf à se laisser aller à la rêverie — comme l'a fait le grand physicien Freeman J. Dyson dans *La Vie dans l'Univers* — nous devons nous résigner à travailler avec le seul outil que la nature nous ait donné, le vivant[1]. Nous pouvons certes le perfectionner et l'utiliser de mieux en mieux, mais nous ne pouvons pas introduire d'alternative comme on le fait dans les techniques matérielles. C'est là une contrainte parti-

---

1. F. J. Dyson, *La Vie dans l'univers, op. cit.*

culière qui s'ajoute à celles que font peser les lois physiques sur l'ensemble du système technique.

La biodiversité

L'action essentielle de l'homme sur le règne vivant se résume en peu de mots : destruction de la biodiversité. Tout indique que l'action de l'homme fait entrer le monde vivant dans une ère d'extinction massive des espèces. Les grandes espèces y sont particulièrement vulnérables et la liste de celles qui sont menacées s'allonge chaque jour. *A contrario*, certaines espèces ont trouvé une niche écologique fabriquée par l'homme et favorable à leur pullulation ; ainsi des rats et des cafards et aussi des microbes, virus et parasites divers. D'autres espèces ont été transformées par le processus de domestication à tel point que l'on peut douter de leur capacité à vivre dans quelque milieu naturel que ce soit.

Il est important de discerner en quoi le phénomène de destruction des espèces diffère des altérations que l'homme impose aux composantes matérielles de la biosphère.

La diversité des formes de la vie est l'effet de quatre milliards d'années d'évolution darwinienne. L'homme est une espèce parmi d'autres, et il est normal qu'il agisse sur la diversité du vivant, qu'il pratique ou qu'il subisse la survie du plus apte. La disparition d'espèces et l'apparition d'espèces nouvelles sont le fait du mécanisme darwinien, et il n'y a rien d'étonnant à ce que l'homme y participe.

Ce qui est nouveau, c'est qu'il introduit dans ce phénomène deux éléments qui lui sont propres, la technique, dont il est inséparable, et son cerveau, qui a créé cette technique. Il en résulte une capacité de destruction des espèces, qu'elle soit volontaire ou involontaire, qui est sans précédent dans l'évolution du phénomène vital. Sans précédent, du moins, comme un effet de la vie sur elle-même. Les grandes extinctions qui ont marqué l'histoire de la vie — en particulier la disparition brutale des dinosaures qui a ouvert la voie aux mammifères et à l'homme — ont eu des causes extérieures ; elles ne semblent pas être l'effet d'une rétroaction de l'évolution naturelle sur elle-même. Le rythme de disparition des espèces que nous observons aujourd'hui est au contraire l'effet d'une telle rétroaction dont l'homme est l'outil, effet dont l'ampleur dépasse de beaucoup le rythme de la création d'espèces nouvelles par l'évolution.

Alors que, comme nous l'avons vu, la technique transforme ou altère la disposition des grandes composantes de l'environnement matériel, elle n'en détruit pas les éléments constitutifs. Il peut être difficile, mais non inconcevable, de les réaménager. Au contraire, la disparition d'une espèce, et singulièrement d'une espèce supérieure, végétale ou animale, a un caractère définitif. Lorsque le dernier rhinocéros aura disparu pour fournir la poudre de sa corne aux débiles qui croient à ses pouvoirs aphrodisiaques, ce sera sans retour. Nos descendants ne verront plus jamais un rhinocéros se déplacer dans la savane africaine. Il en ira de même lorsque la dernière baleine, harponnée au prétexte de la recherche scientifique, aura fourni sa chair aux gourmets japonais. La destruction de la biodiversité est un phénomène dont l'irréversibilité est absolue.

On pourra objecter que l'on sait déjà altérer les génomes pour substituer une transformation artificielle aux effets de l'évolution naturelle. On le fait pour améliorer le rendement des cultures et, plus secrètement, pour fabriquer des armes biologiques. Mais de là à imaginer que l'on puisse reconstruire, en l'inscrivant dans une durée beaucoup plus courte, un processus de montée vers la complexité biologique qui a pris plusieurs milliards d'années à la nature, et fabriquer, avec de la matière inerte, des espèces supérieures, il y a sans doute, même à l'échelle du millénaire, la distance qui sépare la réflexion du rêve. On ne sait même pas aujourd'hui fabriquer une molécule autoreproductrice. Combien faudrait-il de temps pour reconstruire le dodo, cet oiseau sans ailes qui vivait paisiblement sur l'île Maurice avant que les envahisseurs humains, comme de vulgaires prédateurs, ne le dévorent jusqu'au dernier? La disparition d'une espèce, et plus précisément celles qui sont voisines de l'homme sur l'arborescence évolutive, doit être considérée comme définitive.

Je me bornerai ici à examiner, non les aspects divers que revêt l'extinction des espèces, mais à analyser les mécanismes qui l'engendrent, car c'est sur ces mécanismes qu'il faut agir. C'est par leur intermédiaire que s'établissent les liens entre la disparition des espèces et les limitations de l'espace planétaire.

Je ne m'attarderai pas sur la pratique de la chasse qui tend à devenir une activité archaïque, encore que l'on puisse lui imputer, dans un passé récent, la disparition des immenses troupeaux de bisons qui peuplaient autrefois la prairie américaine. L'activité desdits primitifs qui, au nom de la tradition, massacrent les palombes n'exerce pas, pour condamnable qu'elle soit, des effets sensibles. Il en va tout autrement de la chasse ou du braconnage de populations réduites comme celles des grands mammifères africains.

Dans une analyse générale des mécanismes d'extinction de nature anthropique, il est commode de distinguer les espèces terrestres et les espèces marines.

Sur les continents, le mécanisme d'extinction le plus commun est l'occupation de territoires par l'homme, accompagnée de la destruction du biotope des espèces qui l'habitaient. Les sources de cette extension des zones occupées par l'homme sont aisées à reconnaître. Elles sont le besoin d'espace pour l'habitat et l'agriculture, associé, pour les espèces végétales, à l'exploitation de ressources naturelles comme le bois des forêts tropicales. L'intensité de ces mécanismes est liée à la démographie humaine et, par son intermédiaire, au besoin de nourriture.

Il faut comprendre que la destruction d'un biotope comme la forêt tropicale est, en soi, un phénomène parfaitement irréversible. Elle s'accompagne de la destruction de la biocénose, c'est-à-dire des espèces qui avaient leur niche écologique dans ce biotope. On pourra naturellement planter des arbres pour remplacer ceux qui auront disparu, mais on créera ainsi une plantation ; on ne reconstituera pas une forêt primitive engendrée par une évolution millénaire.

L'évolution du climat est le second mécanisme qui exerce une menace globale sur la biodiversité terrestre. Compte tenu de sa rapidité — même dans les hypothèses les plus favorables —, les espèces ne pourront s'y adapter autrement que par une migration vers les pôles. Cela concerne les espèces capables de se déplacer ; les espèces végétales n'ont pas cette ressource et les biocénoses dans lesquelles il existe une chaîne alimentaire, une adaptation de chaque espèce à la présence d'autres espèces, seront mises en danger. Ainsi, par l'intermédiaire du climat, les problèmes de la biodiversité se couplent à ceux de l'approvisionnement énergétique et de la pollution de l'atmosphère par les gaz à effet de serre.

L'interaction de l'homme avec les espèces marines relève d'un schéma quelque peu différent. Le problème de l'occupation des territoires en est absent. En revanche, les océans sont le seul domaine où l'homme exerce encore, de façon significative, l'activité de chasseur-cueilleur qui a pratiquement disparu des continents. Les moyens techniques de plus en plus puissants dont dispose la pêche, joints à la demande croissante d'aliments marins, mettent en danger les stocks de certaines espèces et les mécanismes de reconstitution de ces stocks sont encore mal connus. C'est ainsi que les morues ont pratiquement disparu des bancs de Terre-Neuve.

Le danger de surexploitation des populations n'est pas le seul qui menace les espèces marines. Les couches superficielles des océans sont soumises au même phénomène de réchauffement qui affecte l'atmosphère. Mais, en outre, elles subissent un autre effet directement lié à l'accroissement de la richesse de l'air en CO_2. Cet enrichissement s'accompagne d'un taux de dissolution accru du CO_2 dans l'océan mondial. Il se produit ainsi une acidification de l'eau, un abaissement de son pH.

La Royal Society a, dès 2005, procédé à un examen approfondi de ce phénomène[1]. Les effets en sont complexes et encore mal connus car, si le phénomène est global, ses effets sur la vie océanique sont régionaux. L'océan absorbe environ la moitié du gaz carbonique produit par la consommation des combustibles fossiles. De ce fait, le pH de l'eau de surface a décru de 0,1 unité et une extrapolation fondée sur les tendances actuelles montre que, si rien n'est fait, le pH aura décru de 0,5 en 2100. Ce phénomène d'acidification est irréversible; il faudrait des dizaines de milliers d'années pour que l'océan retourne à sa condition initiale.

L'acidification exerce deux types d'effets qui sont l'un et l'autre insuffisamment connus. D'une part, elle perturbe le cycle du carbone en réduisant la capacité des océans à

---

1. *Ocean Acidification Due to Increasing Atmospheric Carbon Dioxyde*, Royal Society, Policy Document 12/05, juin 2005 (www.royalsoc.ac.uk).

absorber le CO_2, ce qui a pour effet d'accroître le rythme du réchauffement climatique. D'autre part, et c'est ce qui nous intéresse ici, elle perturbe la vie océanique. Les grandes espèces n'en sont pas directement atteintes, mais les espèces planctoniques en sont menacées. Or elles sont à la base du cycle alimentaire dont dépendent les grandes espèces. C'est particulièrement vrai de celles qui construisent des coquilles ou des squelettes formés de carbonate de calcium. Il s'agit des coraux et des mollusques mais, surtout, de certaines espèces planctoniques possédant un squelette qui peut être dissous par une eau trop acide, ce qui entraîne la mort de l'organisme.

★

À la base des interactions de l'homme avec le monde vivant, on retrouve les problèmes fondamentaux qu'engendrent les besoins élémentaires de l'espèce : la démographie, qui détermine le besoin d'espace et de nourriture, et l'énergie, qui contrôle la production et la distribution de cette nourriture.

Le système de la vie est un phénomène unique qui n'existe nulle part ailleurs dans la zone de l'Univers à laquelle nous pouvons accéder, c'est-à-dire dans le système solaire. La vie terrestre est le seul système dont nous disposions et que nous puissions étudier. L'interaction de la vie avec l'environnement physique a modelé la surface de notre planète et son atmosphère. La structure géologique de la croûte terrestre en porte des témoignages qui, à l'échelle humaine, sont gigantesques : bancs de calcaire, récifs coralliens, combustibles fossiles. Mais l'apparition de l'homme et de sa technique a donné un tour nouveau à l'évolution du vivant. C'est sur un système auquel lui-même appartient que l'homme agit. Ce que nous observons peut être considéré comme un accident dans l'évolution de la vie dont l'effet le plus apparent est la disparition des espèces ; l'homme agit ainsi comme un parasite qui affecte l'ensemble du monde vivant. La question est de savoir quels sont les éléments de ce monde dont l'homme provoquera la nécrose et si lui-même pourra y survivre.

7

Défis matériels
et défis sociétaux

À un marinier qui n'a point de but,
nul vent ne peut servir ; à qui en a un,
tout vent sert et abrège le chemin,
même le plus tempétueux et le plus contraire.

PHILIPPE DE MORNAY, sieur du Plessis Marly.

Pérennité du système technique

La survie de l'humanité n'est pas un problème purement matériel. Elle est aussi et surtout un problème sociétal. Cependant, faute que les problèmes matériels soient
résolus, l'homme survivra peut-être comme une espèce
animale, au moins pour un temps, mais la civilisation telle
que nous la connaissons, et telle qu'elle peut sembler promise à évoluer, disparaîtra.

Cette civilisation repose sur un système technique et
la dimension matérielle de la survie se résume, non dans
le maintien actuel de ce système, mais dans son évolution
vers un système capable de se maintenir indéfiniment, au
moins tant que la planète conservera la capacité d'héberger
la vie des animaux supérieurs. Dans la durée que nous
nous sommes donnée — un à quelques millénaires —, le

risque d'éradication de l'espèce ou de dégradation majeure de son habitat par une catastrophe naturelle est faible. Il peut survenir des catastrophes de grande ampleur, mais on peut raisonnablement considérer qu'elles ne compromettront pas la survie de l'homme. Les problèmes qui barrent l'accès à un avenir lointain sont d'origine anthropique ; ils sont la face obscure du développement technique. Ils revêtent deux formes : la pérennité du système technique et sa compatibilité avec la préservation d'un environnement propre à la vie.

Comment peut-on les aborder ? Dans la plupart des cas, les réflexions sur le futur partent du présent pour progresser vers un avenir incertain. Elles identifient des problèmes ou des dérives auxquels il convient de remédier et qui déterminent l'action immédiate. Elles se donnent des scénarios de l'avenir auxquels s'attachent une probabilité de concrétisation et des jugements de valeur ; elles tentent d'identifier les actions les plus désirables. L'horizon de cette démarche « prospective » ne dépasse pas, le plus souvent, quelques décennies. Au-delà de cet horizon habituel, mais fondé sur la même progression vers le futur, s'étend le domaine incertain de la « futurologie ». Elle est l'objet de quelque discrédit parce que la rapidité de l'évolution technique et ses aspects imprévisibles démentent souvent ses prophéties avant même que leurs auteurs n'aient disparu.

Le problème de la survie dans un avenir éloigné s'accommode d'une démarche inverse. Cela tient à ce que, quels que soient les trajets vers ce futur, ils comportent des points d'aboutissement obligé qui sont aisés à identifier. En d'autres termes, on ne sait pas, de science certaine, si la civilisation humaine se perpétuera à long terme, mais on sait que, si elle le fait, elle devra posséder certains caractères qui s'imposent à une société pérenne. Il est donc loisible de partir de ces caractères par une démarche de régression vers le présent.

Le maintien, sinon de la civilisation, du moins de la possibilité d'une société civilisée repose sur l'existence d'un système technique, produit d'une évolution qui partira du système actuel. Quel que soit ce système, il devra pourvoir aux besoins primaires de l'individu humain : nourriture, eau potable, préservation de l'environnement et protection contre ses agressions. Le volume total de ces besoins est évidemment lié à la population de la Terre par une relation qui est au premier ordre une relation de proportionnalité. On peut s'éloigner de la proportionnalité si l'on admet le maintien ou l'accroissement des inégalités dans l'accès aux ressources, mais une telle évolution serait porteuse de menaces sociétales sur lesquelles je reviendrai. Dans le monde d'aujourd'hui, ces inégalités atteignent un niveau qui est jugé éthiquement inacceptable et politiquement dangereux. Malgré cela, les efforts pour y remédier stagnent à un niveau symbolique. Ils passent au second plan par rapport à la détermination des nations développées d'accroître leur niveau de richesse. C'est là un effet du dogme de la croissance que l'on ne peut mettre en question qu'avec la prudence et la fermeté qui s'imposent s'agissant d'un dogme.

Les futurs de l'énergie

Je reviens ici sur un sujet essentiel qui a déjà été abordé dans les chapitres précédents. Tout comme le système technique est le socle de la civilisation, la maîtrise de l'énergie est le socle du système technique. L'approvisionnement énergétique du système technique n'est donc pas seulement un parmi d'autres des problèmes du futur, c'est un problème dont tout le reste dépend. Les grandes étapes du développement des techniques ont été ponctuées par des maîtrises successives de l'approvisionnement énergétique. Depuis l'époque où Platon constatait que l'on pourrait se passer des esclaves le jour où les navettes tisseraient toutes seules, l'humanité a franchi une série d'étapes passant de la force musculaire à celles des moulins avec la révolution industrielle du Moyen Âge, puis aux combustibles avec celle du XIXe siècle et, enfin, à la fission nucléaire. Quelle vision peut-on avoir des futurs proches et lointains?

Compte tenu des délais qui s'attachent, on l'a vu, à la maîtrise d'une nouvelle étape que pourrait fournir l'énergie nucléaire et des incertitudes que comporte encore sa faisabilité, la mise en œuvre de mesures de transition au cours des prochaines décennies est indispensable.

À cela s'ajoute la possibilité de réduire les gaspillages. On peut mesurer cette réduction des gaspillages — qui concerne potentiellement tous les secteurs d'activité — par un paramètre global, *l'intensité énergétique du produit intérieur brut* (PIB), c'est-à-dire la quantité d'énergie qu'il faut consommer pour obtenir une unité monétaire de production. Elle se mesure donc en watts — ou plus communément, comme on l'a vu, en tep (tonnes d'équivalent pétrole) — par unité monétaire de production. Pour économiser l'énergie à PIB égal, il faut diminuer l'intensité énergétique du PIB et à cette fin réduire les gaspillages et accroître l'efficacité des activités de production. L'intensité énergétique des pays développés tend à diminuer depuis plusieurs décennies, sans que pour autant la consommation cesse de croître. En France, elle a décru de 25 % entre 1970 et 2000, mais il y a des limites à ce processus.

Cet indice global est inévitablement grossier. Il cumule les faiblesses propres au PIB et des phénomènes qui, comme la délocalisation de productions industrielles à forte intensité énergétique, engendrent une décroissance au niveau national compensée par une croissance équivalente au niveau mondial. En outre, il confond des usages de nature très différente : les progrès dans l'intensité énergétique des procédés de production industrielle ou agricole et les réductions dans la consommation des particuliers. Ces dernières peuvent être acquises par des améliorations de l'utilisation. Il est aisé, par exemple, de ne plus utiliser l'énergie électrique dans des radiateurs pour le chauffage des habitats, opération désastreuse puisqu'elle consiste à transformer d'abord de l'énergie thermique en électricité dans les centrales avec un rendement de l'ordre de 50 % pour la reconvertir ensuite en énergie thermique. Le temps est passé où EDF faisait de la publicité pour le « tout électrique ». Quoi qu'il en soit, il n'existe pas de frontière précise entre la réduction des gaspillages et la pénurie.

L'épuisement des gisements minéraux et des gisements carbonés tend non seulement à tarir une source d'énergie qui, aujourd'hui, est dominante mais aussi à augmenter la dépense énergétique qui sera nécessaire pour approvisionner le système technique en matériaux élémentaires. L'agriculture et l'approvisionnement en eau douce posent des problèmes de même nature alors que, par ailleurs, l'altération du climat fait peser à court terme des contraintes majeures sur la consommation des produits carbonés. Tous les éléments sont ainsi rassemblés pour que, en matière d'énergie, on passe progressivement d'une économie d'abondance à une économie de pénurie. Une question centrale est de savoir s'il s'agit d'une transition, fût-elle difficile, ou d'un déclin définitif des ressources énergétiques.

Quelles sont les voies possibles pour assurer indéfiniment leur disponibilité ?

Comme nous l'avons vu, il n'existe que deux sources d'énergie accessibles à la surface de la Terre, le rayonnement solaire et l'énergie nucléaire.

Le système technique actuel s'est édifié, depuis le XIXe siècle, sur l'exploitation systématique des énergies fossiles, le charbon, le pétrole et le gaz qui sont, en quelque sorte, de l'énergie solaire mise en réserve, un capital accumulé au cours des époques géologiques. La consommation de ce capital ne fournit pas une solution pérenne pour deux raisons : il est par nature épuisable, comme l'est tout capital, et sa consommation altère le climat. Ce second élément ne change rien au fond du problème, mais il change les échéances. En son absence, on pourrait considérer que les réserves de charbon offrent un délai de plusieurs siècles, mais la menace climatique ramène ce délai à quelques décennies et demande des actions immédiates.

Le caractère global de la menace de réchauffement du climat a suscité une concertation internationale dont les effets, pour l'heure, sont maigres. Les efforts en question relèvent de deux démarches qu'il faut envisager conjointement, la réduction des émissions de dioxyde de carbone (ou, par un raccourci d'écriture fréquent, des émissions de carbone) et l'adaptation de la société à un réchauffement qui commence à se manifester sous les hautes latitudes. Le protocole de Kyoto est le premier résultat de cette coopération internationale et ses effets sont faibles. Par rapport à ce protocole médiocre, la conférence de Copenhague marque plutôt une régression qu'un progrès. Mais il n'est pas exclu qu'une accélération de l'évolution climatique, la concrétisation et la visibilité de la menace ne produisent, dans un avenir proche, une augmentation des efforts visant à la réduction des émissions. L'Europe s'y est engagée plus que les autres régions du monde en envisageant une réduction de 80 % en 2050 par rapport au niveau de 1990.

Les composantes des problèmes du long terme diffèrent sensiblement de celles du débat actuel. L'émission de gaz à effet de serre en est absente parce qu'il n'existe pas de source polluante dont la pérennité soit assurée. Ainsi, de deux choses l'une, ou bien la catastrophe climatique sera évitée et le problème de l'approvisionnement pérenne se posera, ou bien elle aura lieu et conduira, à horizon du siècle, à un ébranlement des bases de la société dont la portée et les conséquences sont imprévisibles. Je ne m'attarderai pas sur cette seconde éventualité. Je me bornerai à noter que s'est développé un conflit entre ceux qui donnent la priorité à l'adaptation au changement climatique et les partisans de la réduction des émissions. Les uns et les autres s'appuient naturellement sur des arguments scientifiques, mais les bases du conflit sont d'ordre social. La priorité donnée à l'adaptation favorise à l'évidence les industries et les pays qui exploitent des ressources fossiles, mais aussi les pays développés et surtout les pays en voie de développement rapide comme la Chine et l'Inde. Ces derniers n'entendent pas se priver des bénéfices économiques de la croissance de leur consommation énergétique. Ce conflit reflète, plus généralement, l'éternel affrontement entre les conservateurs et les réformateurs. Il est de toute façon probable qu'une action sur l'une *et* l'autre dimension sera indispensable.

Si nous nous tournons maintenant vers le long terme, nous pouvons débarrasser le problème énergétique des tensions qui l'affectent dans le présent. Deux grandes voies s'offrent alors à la réflexion : l'énergie solaire et l'énergie nucléaire qui sont, l'une et l'autre, des énergies « propres ». C'est dans ce cadre incontournable que se pose le problème. Les deux voies ne sont nullement incompatibles, mais la première pose un problème particulier : l'énergie solaire peut-elle fournir à elle seule une solution à l'approvisionnement énergétique global? L'énergie solaire est puissante, mais, quelle que soit sa forme, rayonnement, énergie mécanique de vent ou des vagues, elle est intermittente. En outre, du fait de sa faible densité, sa captation demande de grandes surfaces de territoire, qu'il s'agisse de sa transformation directe en électricité par des panneaux solaires, de l'exploitation par des éoliennes de sa forme mécanique, l'énergie éolienne ou celle des vagues de l'océan. Dans un livre dont la lecture est éminemment recommandable, *Sustainable Energy Without the Hot Air*, David MacKay, qui enseigne la physique à Cambridge, s'est livré, sur l'approvisionnement énergétique du Royaume-Uni en énergies renouvelables, à un certain nombre de calculs élémentaires[1]. C'est ainsi qu'il a estimé à 2 watts/m^2 la production d'un champ d'éoliennes, ce qui signifie qu'en couvrant la totalité du territoire britannique on obtiendrait, avec la densité actuelle de population, 8 000 watts par individu. Il semble plus raisonnable de considérer que cette forêt d'éoliennes ne pourrait occuper que 10 % de ce territoire, compte tenu des autres modes d'occupation; on arrive alors au chiffre de 800 watts, soit 20 kilowatts heure par jour et par personne. Ce chiffre est à rapprocher de la consommation actuelle des sujets de Sa Majesté, 125 kilowatts heure par jour et par personne. Il existe près de Glasgow un champ de 140 éoliennes qui occupe 55 km^2 et qui produit au maximum 6 watts/m^2 et en moyenne 2 watts/m^2, ce que confirment par l'expérience les chiffres de MacKay. Son livre est centré sur les problèmes du Royaume-Uni, mais ses résultats peuvent être aisément étendus à d'autres pays ou à la totalité du monde. Dans sa conclusion, MacKay analyse cinq scéna-

1. David J. C. MacKay, *Sustainable Energy-Without the Hot Air*, Cambridge, IUT Cambridge Ltd., 2009.

rios confrontant la consommation et des moyens de production qui incluent en proportions variables de l'énergie nucléaire et de l'énergie solaire, cette dernière pouvant être éventuellement empruntée aux pays richement dotés du sud de la Méditerranée, ce qui suppose évidemment stabilité politique et volonté de coopération.

Quelles conclusions peut-on tirer de cette étude qui, sans s'embarrasser d'aucun détour économique, rapproche directement les quantités physiques que sont la production et la consommation? La première est que le passage à un monde sans émission de CO_2 — un monde sans consommation de combustibles fossiles, sauf si le CO_2 produit est capturé et stocké — sera une transition extrêmement difficile. Elle exigera que l'on développe de nouveaux outils de production et que l'on réduise la consommation en s'attaquant aux gaspillages. Cela est vrai quelles que soient les sources d'énergie que l'on substituera aux combustibles fossiles, et les délais seront imposés par l'évolution plus ou moins rapide du climat. Cette transition vers un système technique décarboné est un problème du court et du moyen terme; elle appelle des actions immédiates, mais les voies qui seront choisies comportent des conséquences pour le long terme selon la place que l'on envisage de donner à l'une et à l'autre des deux sources d'énergie propre, le nucléaire et le solaire.

Un recours exclusif au solaire signifiera que la civilisation se développera dans un contexte de limitation énergétique auquel elle devra s'adapter. Cette limitation a déjà commencé à se manifester par la chasse aux gaspillages qui est la première étape de l'adaptation à la pénurie, mais d'autres suivront que les pays du tiers monde connaissent déjà et qui n'auront pas les mêmes connotations positives.

En regard de cette perspective, on peut s'interroger sur la capacité des techniques nucléaires à fournir à horizon millénaire une source d'énergie propre et abondante. Cette alternative conduit à s'interroger sur leur avenir, en faisant fi de tous les tabous.

Le nucléaire

L'usage de l'énergie nucléaire dans la transition vers un système technique qui n'utiliserait plus les combustibles fossiles ouvre un débat social encombré de slogans. Il s'agit moins pour certains d'examiner les éléments objectifs que de mobiliser les masses dans un mouvement « antinucléaire » et d'infléchir ainsi les positions gouvernementales. Cette démarche a abouti en Allemagne, où le slogan « Sortir du nucléaire » a acquis le statut de politique officielle. Avant de revenir sur la dimension idéologique et politique de ce débat, je me bornerai ici à examiner ses fondements techniques. Il convient d'y distinguer la part des certitudes et celle des incertitudes pour débarrasser le contenu rationnel du débat de sa gangue émotionnelle.

En effet, le nucléaire fait peur et la peur n'est pas gouvernée par la raison ; il est donc tentant de jouer sur elle. Le fait que le corps médical a dû renoncer au terme de RMN (résonance magnétique nucléaire) et lui substituer IRM (imagerie par résonance magnétique) témoigne tout à la fois de la profondeur de ce sentiment de crainte et de son caractère irrationnel ; le terme nucléaire — qui ici n'est pourtant pas synonyme de radioactivité — effrayait les patients.

Les éléments techniques qui concernent la politique énergétique sont aisés à identifier. Il y a, comme nous l'avons vu, deux grandes voies pour la production d'énergie nucléaire, la fission d'atomes lourds, uranium, plutonium, thorium, et la fusion d'atomes légers, deutérium et lithium. L'une et l'autre sont maîtrisées pour la fabrication de bombes. La situation est différente pour la production contrôlée d'énergie à des fins civiles.

La fusion en est encore aux débuts d'un effort de développement dont l'aboutissement n'est pas assuré et se place à échéance d'au moins un demi-siècle. La fission nucléaire est maîtrisée techniquement et déployée sous forme de réacteurs comme ceux qui fournissent l'essentiel de l'énergie électrique en France. Son évolution technique est loin d'être achevée. Les peurs que suscite l'usage de la fission nucléaire tiennent pour l'essentiel à trois causes : les risques inhérents au mode de fonctionnement des réacteurs, la production de déchets radioactifs et la connexion avec les usages militaires de l'atome. En outre, la technique nucléaire actuelle utilise mal la ressource en uranium et sa généralisation créerait un problème d'épuisement des gisements. Pour conférer à cette source d'énergie, sinon la pérennité, du moins une permanence de l'ordre du millénaire, il faudra développer une nouvelle génération de réacteurs capables d'utiliser des matériaux peu radioactifs comme l'uranium 238 ou le thorium.

En regard des problèmes qui s'attachent à la fission, les qualités de la fusion sont évidentes. Bien qu'elle ne soit pas encore disponible, on peut en dire un certain nombre de choses. Le fonctionnement d'un réacteur à fusion ne s'accompagnera, comme nous l'avons vu, d'aucun des risques qu'engendre un réacteur à fission. Toute connexion avec les problèmes de prolifération nucléaire en est absente, la production de déchets radioactifs est faible, sans commune mesure avec celle des réacteurs à fission, et le réacteur n'est pas sujet à exploser.

Sur cette base volontairement sommaire, comment peut-on appréhender les éléments qui devraient déterminer la place du nucléaire à horizon lointain ? L'appréciation

objective est empoisonnée par les vociférations idéologiques, mais l'objectif général est clair, c'est de satisfaire
une demande énergétique qui, toutes choses égales par ailleurs, continuera à croître comme elle le fait aujourd'hui.
Cette croissance sera exigée par l'exploitation de ressources
minérales de plus en plus pauvres, l'épuisement des stocks
d'eau contenus dans les nappes phréatiques fossiles et la
demande en engrais synthétiques de l'agriculture. Tout cela
est modulé par l'évolution démographique et dépend donc,
en outre, des moyens de la contrôler.

Les problèmes énergétiques du long terme s'enracinent
dans le court et le moyen terme par l'altération du climat
et par l'épuisement de certains gisements de combustibles
fossiles. Il est difficile de dire avec certitude lequel de ces
deux facteurs sera le premier à créer l'urgence, mais,
compte tenu des délais qui s'attachent au développement
des générations futures de réacteurs nucléaires, ils appellent
l'un et l'autre des actions immédiates.

Les défis sociétaux

Le nœud gordien des problèmes matériels appelle une
réaction de la société, réaction dont l'efficacité condi-
tionnera sa survie. Tous les comportements collectifs et
les structures qui vont servir de base à cette réaction sont
hérités d'un passé lointain dans lequel les problèmes de
limites planétaires ne pouvaient être perçus. Jusqu'au
début de l'ère industrielle, l'espèce humaine était trop peu
nombreuse et dotée de moyens techniques trop rudimen-
taires pour que les ressources prélevées sur la planète
atteignent un niveau inquiétant. Dans un passé lointain,
l'homme a été confronté, comme toutes les autres espèces,
à la lutte darwinienne pour la survie du plus apte. Il a vic-

torieusement affronté ce défi ; il a triomphé de ses prédateurs, et sans doute sa tendance à se constituer en groupes
hiérarchisés et à se doter d'armes a-t-elle joué un rôle
déterminant dans l'établissement de sa dominance.

L'occupation de territoires par des groupes a conduit à
la première rencontre de l'homme avec des problèmes de
limites, celles de l'espace vital de son groupe. Il ne s'agissait pas de limites planétaires mais de rencontres locales
entre des groupes humains pour l'occupation exclusive
de régions particulièrement attractives. Au cours des siècles
et partant de là, l'évolution collective de l'espèce a conduit
à la situation que nous connaissons aujourd'hui. L'espace
habitable est découpé intégralement en espaces nationaux
séparés par des frontières qui sont, dans la plupart des cas,
parfaitement définies. Lorsqu'elles le sont mal ou d'une
façon qui n'est pas acceptée de part et d'autre, une situation de tension se développe localement qui peut conduire
à des conflits frontaliers. C'est le cas, par exemple, de la
frontière indo-pakistanaise dans la région du Cachemire.
Mais la norme est l'existence de frontières explicitement
reconnues par les nations qui occupent les territoires
qu'elles délimitent.

À l'intérieur de ces territoires nationaux se sont développées des structures, les États-nations, aboutissement actuel
des structures hiérarchiques qui ont existé de tout temps.
Cette description est extrêmement et volontairement schématique. On peut aisément trouver de nombreux territoires où l'existence même d'une structure étatique est
incertaine. La Somalie est un exemple de ces États faillis.
Cependant, aussi bien la consommation des ressources terrestres que l'évolution des savoir-faire techniques sont le
fait, pour l'essentiel, de pays développés dans lesquels
l'existence d'un État est la règle.

À partir de cette structure, qui repose sur des territoires et des États nationaux, s'est construite la notion de souveraineté nationale. Sans entrer dans une analyse approfondie de cette notion, nous pouvons en retenir pour notre propos la définition qu'en a donnée au XIXe siècle Louis Le Fur : « La souveraineté est la qualité de l'État de n'être obligé ou déterminé que par sa propre volonté... » Avec cette notion de souveraineté se conjugue la notion d'ingérence qui qualifie l'intervention d'un État dans les affaires d'un autre sans son consentement. Toute intervention de cette nature signifie soit qu'il y a ingérence, soit que l'État concerné a consenti à abandonner une partie de sa souveraineté nationale. Il est naturellement nécessaire d'introduire des nuances et des complexités dans cette description de ces trois notions essentielles : la souveraineté nationale, l'ingérence et l'abandon de souveraineté. C'est ainsi que la définition de Louis Le Fur donnée plus haut, sous une forme tronquée, s'assortit dans sa version complète des réserves suivantes : « dans les limites du principe supérieur du droit et conformément au but collectif qu'il est appelé à réaliser ». Ces réserves ouvrent la voie au droit d'ingérence, abondamment débattu à une époque récente, qui crée la possibilité d'intervenir lorsque se développe, par exemple, une crise humanitaire ou un génocide dans lesquels les droits élémentaires de la personne humaine sont manifestement bafoués. C'est en outre une constatation de fait que l'exercice du droit d'ingérence implique, en pratique, une dissymétrie de puissance entre les États qui le pratiquent et celui qui le subit.

Pour ce qui nous occupe, l'essentiel ne réside pas dans ces nuances, mais dans l'existence même de la notion d'État souverain et d'exercice de la souveraineté nationale. Cette notion n'a évidemment pas été créée par l'affrontement de l'homme aux limites de la planète; elle est sans rapport avec lui. Elle a émergé et s'est précisée, au cours de l'histoire, dans le contexte d'affrontements occasionnels et de compétitions auxquels la Terre offrait un terrain de jeu sans limites. Cette première étape, le découpage intégral du territoire terrestre en territoires nationaux, est inséparable de l'évolution du système technique qui, en outre, a très progressivement rendu chaque population dépendante de l'existence de toutes les autres. Elle a permis l'émergence de relations économiques dans des zones de plus en plus étendues. Ce processus aboutit à ce que l'on nomme aujourd'hui la « mondialisation » de l'économie que certains ont été tentés de considérer comme l'aboutissement final de l'histoire[1].

Les structures transnationales

La mondialisation induit l'apparition ou le renforcement de structures transnationales qui ont pour objet de réguler ou, selon les cas, d'exploiter les interactions de toutes natures qui s'établissent entre les ensembles nationaux. Elles sont issues soit des États — avec l'intention affirmée de servir l'intérêt général ou de le concilier avec des intérêts particuliers —, soit de mécanismes partant de la base *(bottom up)* au service des intérêts particuliers, légitimes ou illégitimes, légaux ou illégaux, d'une communauté. On peut classer dans cette catégorie, par exemple, les organisations scientifiques inscrites dans le cadre de l'ICSU (Conseil international des unions scientifiques). Elles ne sont pas des organismes intergouvernementaux, même si

---

1. Francis Fukuyama, *La Fin de l'histoire et le dernier homme* (trad. de l'anglais par Denis-Armand Canal), Paris, Flammarion, « Champs », 1992.

leur action est encouragée par les États ; elles sont un puissant facteur d'unité sur lequel se construit la notion de communauté scientifique mondiale. D'autres structures internationales servent des intérêts dans un contexte d'illégalité, que ces intérêts soient financiers, comme dans le cas des mafias, ou politiques et religieux, comme dans le cas d'Al-Qaida. Il y a enfin les Églises, qui possèdent un long passé historique tout au long duquel se sont développées des relations complexes avec les structures nationales de pouvoir. Toutes ces structures, dans leurs formes actuelles, dépendent de la disponibilité de moyens techniques, télécommunications et transports intercontinentaux, auxquels s'ajoute, pour certaines, la disponibilité d'armes.

Ainsi, l'organisation de la société contemporaine peut être décrite, de manière très générale, comme une combinaison de structures nationales et de structures internationales. Les structures nationales possèdent d'ailleurs, héritées de l'histoire, des sous-structures vestigiales comme la monarchie britannique, qui sont extrêmement résilientes, même si elles ont cessé de remplir une fonction : elles subsistent comme le symbole d'une unité nationale.

La sociologie des structures internationales a été peu étudiée par les sociologues, peut-être, comme le relève Saskia Sassen, en raison du « postulat explicite ou implicite que l'État-nation est le contenant du processus social[1] ». Il est clair qu'il n'en est plus ainsi, et qu'il en sera de moins en moins ainsi, du moins tant que nous échapperons à une régression majeure du système technique.

C'est en définitive de ces deux éléments, structures nationales et structures internationales, que l'on peut attendre une réaction de la société humaine aux menaces

---

1. Saskia Sassen, *La Globalisation. Une sociologie,* trad. de l'anglais (États-Unis) par Pierre Guglielmina, Paris, Gallimard, 2009, p. 9.

qui la guettent. Ce sont là les acteurs susceptibles d'engendrer ou de traduire une réaction collective.

Ce tableau de la société réduit aux États-nations et aux structures transnationales est sommaire. Le but n'est pas de gloser sur les interactions complexes qui existent entre les éléments constitutifs de la société, il est de rechercher si cette construction sociale est capable de s'adapter et quels sont les points d'action qui pourraient permettre de la faire évoluer. C'est à cet agencement hybride de la société humaine qui associe États-nations et organisations internationales que toute action doit s'adapter. On ne peut exclure que de nouvelles structures internationales soient créées pour faire face aux problèmes du futur. C'est une démarche positive; la création du GIEC en est une première concrétisation qui constitue l'amorce d'une ligne d'action. Dans un style différent, les rencontres entre chefs d'État comme celles qu'organisent le G 7 et plus récemment le G 20 jouent un rôle de plus en plus important dans la prise de conscience de la globalité planétaire.

L'essence du problème sociétal de la pérennité est de promouvoir l'évolution des acteurs collectifs, tant nationaux que transnationaux, dont dispose la société pour affronter aussi bien les problèmes matériels que nous avons recensés que les problèmes sociétaux qui barrent la route du futur.

La démographie et les inégalités

De toutes les inadaptations de la société contemporaine aux problèmes du futur, la plus redoutable est celle que pose la conjonction de la croissance démographique et de la montée des inégalités. Un individu qui, aujourd'hui, dans un pays développé, atteint l'âge que lui promet l'espérance de vie moyenne, a vu, dans le cours de son existence, la population mondiale tripler. Il est de l'ordre de l'évidence que ce processus ne peut se maintenir dans le siècle qui vient. Il faudrait que la Terre puisse nourrir plus de vingt milliards d'hommes. Le creusement des inégalités dans l'accès aux ressources a tout à la fois permis et aggravé ce phénomène. Les inégalités s'établissent à deux niveaux, entre individus à l'intérieur d'un même territoire national et entre territoires nationaux. Les origines de ces deux phénomènes sont complexes. Il y a d'abord la tendance de l'animal humain à considérer comme un droit imprescriptible celui de se reproduire. Il y a, en particulier dans les pays sous-développés et dépourvus de structure d'aide sociale, le fait qu'une descendance abondante assure plus de sécurité contre les menaces de la vieillesse. Dans les mégapoles on observe un taux de fécondité plus bas que dans les campagnes, sans doute parce que, malgré la misère qui les caractérise, elles fournissent un entourage social. Peut-être aussi parce que, dans les mégapoles du tiers monde, la fraction la plus jeune de la population ambitionne moins de se reproduire sur place que de migrer vers les pays développés. Ces facteurs et d'autres font que l'essentiel de la croissance démographique mondiale se concentre dans les pays les plus pauvres.

Lorsque je dis que la croissance de la population mondiale est rendue possible par le creusement des inégalités entre pays riches et pays pauvres, je ne fais que commenter une évidence. Ce creusement est la conjonction de deux évolutions. Les pays développés, et ceux qui sont en voie de développement rapide comme la Chine et l'Inde, tendent clairement à s'enrichir, les pays les plus pauvres à s'appauvrir. Cela signifie que la part du prélèvement sur les ressources terrestres que font les pays riches tend à croître à l'intérieur d'un prélèvement total qui est lui-même croissant.

Le système économique, qui régit la production et l'accès aux ressources, constitue le cadre dans lequel s'inscrit ce phénomène. On peut dire du système libéral qu'il organise la production des biens avec une efficacité incontestable, mais qu'il ne se préoccupe pas de leur distribution. À l'échelle des relations entre pays, la redistribution est contrôlée par les relations entre États, dans le cadre d'une compétition régulée dans une certaine mesure par des structures internationales comme l'OMC (Organisation mondiale du commerce). À l'intérieur d'un État, elle est laissée aux forces du marché. Les effets en sont quelque peu réduits, dans les États de droit, par le contrôle des monopoles et la progressivité de l'impôt qu'établit le pouvoir politique. Dans ceux où règne la corruption, elle est livrée aux jeux de pouvoir. Ainsi naissent et se creusent des inégalités dans l'accès des individus aux richesses qui atteignent des proportions monstrueuses, que ce soit dans les pays développés ou dans le tiers monde.

La croissance simultanée de la population mondiale et des inégalités engendre des menaces majeures. D'abord parce qu'elle est globalement couplée aux défis matériels que nous avons identifiés. Sans les inégalités entre États que contiennent les frontières, il y a beau temps que les limites de l'approvisionnement de la population mondiale en nourriture et en eau potable auraient été atteintes. Dans la société mondiale, au niveau de population actuel, on ne pourrait supprimer la contention qu'imposent les frontières sans déclencher une catastrophe.

En outre, cette situation inégalitaire met en question de diverses façons la stabilité du système politico-économique. Elle cause, le long des frontières qui séparent des zones de richesse inégales, des pressions migratoires dont on sait qu'elles sont difficiles à contenir sans recours à une forme ou une autre de violence. Le développement des techniques de télécommunications, en particulier des satellites qui retransmettent les émissions télévisuelles entre les continents, donne aux populations les plus pauvres une vision d'ailleurs déformée de la vie que l'on mène dans les pays riches. On a souvent relevé que cette vision alimente les pressions migratoires, mais elle semble incontrôlable.

À ces pressions migratoires, qui s'exercent sur de grandes distances, par exemple entre l'Afrique et l'Europe, s'ajoutent des zones de tension. Deux ceintures de latitude délimitent sommairement les grandes régions de développement des deux hémisphères, centrées sur les latitudes tempérées, et les zones de sous-développement de part et d'autre de l'équateur. Le long de ces ceintures s'établissent des zones de fracture où peuvent s'allumer des conflits : frontières entre le monde islamique et la Russie ou Israël, entre l'Indonésie et l'Australie, entre le Mexique et les États-Unis, etc. Les tensions dans ces zones de contact s'alimentent souvent à des idéologies religieuses différentes ; elles créent des risques d'explosion qui, ici ou là, se concrétisent.

Dans la recherche de solutions à ces problèmes, il est important de reconnaître que la carte des productions ne coïncide nullement avec celle des ressources de la Terre et, en particulier, des ressources non renouvelables. On peut certes considérer que les pays développés possèdent un outil de production capable de satisfaire tous leurs besoins. Mais ils ne disposent pas, sur leur territoire, des ressources naturelles nécessaires pour alimenter cet outil de production. Les agricultures américaines et européennes, par exemple, produisent plus que ce qui est nécessaire pour alimenter leurs populations. Mais leur fonctionnement repose sur l'importation de phosphates. L'idée qui est parfois avancée que l'on pourrait constituer autour des pays développés une sorte de réduit et laisser le reste du monde à sa misère n'est donc pas une idée viable, sauf à envisager la constitution de concessions fermées autour des gisements. Il existe, dans le domaine pétrolier, des débuts de mise en œuvre de cette démarche. C'est le cas au Nigeria. Mais cela conduit inévitablement à cristalliser une violence locale et ne peut être généralisé. Ce que l'on peut appeler le patrimoine terrestre — les gisements, les terres arables — crée ainsi un lien indissociable entre les pays riches et les pays pauvres. Ils sont dans la même barque. Toute considération éthique mise à part, on ne peut diviser la Terre en laissant aux uns les zones tempérées et polaires, aux autres les zones tropicales et équatoriales. La répartition présente de la richesse approche une division de ce genre, mais elle repose sur une capacité d'ingérence des États du Nord dans les États du Sud.

Le système économique

Aux considérations précédentes, qui décrivent un état actuel de la société humaine, s'ajoutent les pratiques qui régissent son fonctionnement. Les problèmes du long terme ont à voir avec deux aspects des pratiques sociétales, celles qui régissent les activités économiques et celles qui concernent les droits et les devoirs des individus. Les unes comme les autres tendent très généralement à passer du statut de règles établies par une réflexion au statut d'idéologie. Ainsi en va-t-il de tout ce qui concerne les libertés individuelles. L'idéologie communiste est l'exemple d'une démarche qui a évolué rapidement d'une réflexion rationnelle vers un credo sur lequel s'est bâti un système

totalitaire. Cette transformation des pratiques en croyance
est fortement présente dans tout ce qui concerne les droits
de l'individu, mais aussi dans la démarche économique
dominante. Elle a une grande importance pour la capacité
de cette démarche à s'adapter à un contexte nouveau. Une
croyance a perdu ses bases rationnelles ou n'en a jamais eu.
Elle devient de ce fait inaccessible aux raisonnements
visant à la transformer. Le glissement du système communiste vers l'idéologie communiste lui a fait perdre sa capacité d'adaptation et l'a conduit à un effondrement catastrophique. On peut discerner, dans la pratique de l'économie
dite « de marché », une évolution analogue qui laisse mal
augurer de son adaptabilité.

Or, sans entrer dans aucune analyse de ce système économique, on peut mesurer, à ses caractères extérieurs, son
inadaptation aux problèmes du long terme.

En premier lieu, il est fondé sur la croissance de la
production mesurée par le PIB ; il en résulte que, sous sa
forme actuelle en tout cas, il est radicalement inadapté à
une société stationnaire. Il ignore l'érosion du patrimoine
terrestre ; il ignore également la distribution des richesses
produites et il en résulte inévitablement, par le jeu du système financier, un creusement sans cesse accru des inégalités dans l'accès aux produits du système de production. Il
est vrai que ce système a été un outil puissant de développement de certains États-nations. Reste cependant à savoir
s'il est susceptible d'être amendé et adapté, par un processus progressif, au changement du contexte dans lequel il
opère ou si, comme le système soviétique, il ira dans le
mur. Pour celui-ci, le mur était l'inadaptation à la nature
humaine et pour celui-là ce seront les limites planétaires.
C'est là un problème difficile dont l'issue est incertaine. Il
était naturel de remplacer, dans un climat de catastrophe,
un système qui avait failli par un autre dont le succès est

éclatant, sinon durable. Il sera beaucoup plus difficile d'amender un système pour lequel on ne possède aucun substitut défini; c'est cependant en ces termes que le problème se pose.

Les libertés individuelles

La prise en considération des contraintes qui vont s'imposer à une société pérenne conduit inévitablement à poser le problème de la compatibilité de ces contraintes avec certains aspects de la liberté individuelle, au premier rang desquels la liberté de procréer. Il n'y aurait, en soi, rien d'extraordinairement nouveau à ce que cette liberté soit restreinte. Bien avant que la Chine pratique cette restriction par la volonté d'un État autoritaire, les grandes familles l'ont pratiquée dans le passé, pour éviter les inconvénients d'une descendance trop nombreuse. Elles l'ont conciliée avec le respect des prescriptions de l'Église catholique en envoyant au couvent, au monastère ou dans les ordres une fraction de leur descendance. La prolifération des établissements monastiques à la fin du Moyen Âge a sans doute réduit le taux de fécondité de la population, même si l'on veut croire Rabelais lorsqu'il écrit que « la seule ombre d'un clocher d'abbaye est fécondante[1] ».

Le sujet des libertés individuelles est de ceux qu'il faut aborder avec prudence parce qu'il suscite immédiatement des réactions émotionnelles. Dans une démocratie, les citoyens supportent assez bien l'idée que, dans un avenir plus ou moins lointain, leur mode de vie pourrait être compromis, mais ils réagissent instantanément à toute perspective d'atteinte aux libertés dont ils jouissent.

---

1. François Rabelais, *Gargantua*, chap. XLV.

Remarquons d'abord que dans les pays dits libres la liberté des individus n'est pas sans limites. Elle est d'abord encadrée par des règles qui sont placées sous le contrôle de l'État. La notion de délinquance est définie comme la transgression de ces règles. L'acceptation des contraintes correspondantes par la grande majorité des individus caractérise les régimes démocratiques ; elles y font l'objet de débats entre les citoyens et au sein des instances représentatives. Il peut arriver que l'État ait à arbitrer entre deux fractions de l'opinion publique. Les lois sur l'avortement ou sur les droits des homosexuels en offrent des exemples. Il peut aussi arriver que l'État s'érige en guide de l'opinion et agisse comme il l'a fait pour l'abolition de la peine de mort en France. Mais dans le cas le plus général les règles qui s'imposent au comportement des citoyens sont communément acceptées, sauf par ceux que l'on nomme les délinquants. Elles sont d'ailleurs variables d'un pays à l'autre ; ainsi de celles qui concernent la détention et l'usage des armes à feu entre les États-Unis et l'Europe, ou de celles qui régissent le vêtement entre les pays occidentaux et les pays musulmans. Dans le monde occidental, il existe des règles formelles qui interdisent au citoyen de circuler nu dans le domaine public et une règle de simple usage qui veut que l'on garde le visage découvert. Il n'est guère prudent d'entrer dans une banque avec le visage masqué. La pratique de certaines femmes musulmanes de voiler entièrement leur visage a été ressentie par beaucoup, en France, non comme une violation de règles formellement établies, mais comme une atteinte à un consensus social tacite. L'écart entre les règles acceptées par le plus grand nombre et celles que le régime politique impose mesure l'écart entre ce régime et la démocratie à l'occidentale. C'est ainsi que la liberté de circuler sur le territoire national était refusée aux ressortissants de l'Union soviétique. Dans les pays occidentaux, une telle contrainte serait considérée comme une atteinte grave aux libertés fondamentales, bien qu'en fait, dans ces mêmes pays, elle soit fortement restreinte par la propriété du sol.

Le champ des libertés individuelles n'est donc ni identique d'un pays démocratique à un autre, ni immuable. Il a été façonné par la nécessité, pour les individus, de cohabiter et de survivre à l'intérieur d'un même territoire. Il est donc légitime de penser que ce champ sera modifié par la nécessité de survivre dans un espace où la survie se heurtera à des contraintes nouvelles.

Cela peut se faire de deux façons, soit que l'État impose des contraintes difficilement acceptées, soit que l'opinion publique évolue. La Chine pratique la première voie pour maîtriser la croissance de sa population. En cela elle s'est éloignée, ou plutôt elle n'a pas rejoint, le modèle démocratique. L'autre voie, l'évolution de la sensibilité de la société, exige évidemment d'autres moyens. Les politiques de contrôle de la fécondité iraient à l'encontre de l'encouragement à la procréation pratiqué depuis le XIXe siècle, que symbolise le prix Cognacq-Jay géré par l'Institut de France et attribué aux familles « nombreuses et méritantes ».

Sur quels aspects de l'opinion ou de l'attente publique peut porter l'adaptation aux contraintes planétaires ? Le premier aspect et le plus important est de transformer l'image d'accomplissement qui s'attache à la fécondité élevée. On peut aussi s'interroger sur les moyens de limiter la croissance en plaçant des bornes au droit à s'enrichir qui, dans le monde actuel, n'en a aucune.

Dans un cas comme dans l'autre — et dans beaucoup d'autres —, c'est à une transformation des comportements qu'il faudra pourvoir. La question de savoir si elle peut être imposée ou si elle doit émerger d'un processus d'éducation des masses humaines est cruciale. Pour que les règles

imposées par l'État puissent s'écarter significativement
de celles qu'acceptent ou réclament les individus, il faut
que l'État soit en mesure d'imposer des contraintes à ces
derniers.

Hans Jonas a médité sur « l'avantage d'un pouvoir de
gouverner total » dans lequel « les décisions au sommet [...]
peuvent être prises sans le consentement préalable de la
base ». Il indique que « puisque la tyrannie communiste
existe déjà et qu'elle fournit pour ainsi dire une première
et, pour l'heure, unique proposition, nous pouvons dire
que du point de vue de la technique du *pouvoir* elle paraît
mieux capable de réaliser nos buts inconfortables que les
possibilités qu'offre le complexe capitaliste-démocratique-
libéral[1] ». Cette démarche comporte, on l'a vu poindre dès
les débuts du stalinisme, la quasi-certitude de la chute dans
le totalitarisme, c'est-à-dire dans une société que l'on peut
considérer comme n'étant pas « véritablement humaine ».

Je rejette cette démarche, au profit de celle qui consiste à
examiner si le complexe démocratique-libéral peut être
amendé en profondeur pour s'adapter aux contraintes du
futur. Il s'agit alors de rechercher des voies qui permettent
cette adaptation au prix d'un renoncement minimal à ce
que sont les libertés de l'individu, et en excluant la tyrannie qu'exercerait une « élite » pour imposer ce qu'elle considère comme le bien commun. J'indique au passage que
cette démarche n'est ni de droite ni de gauche ; elle refuse
certaines dérives du pouvoir qui ont été le fait aussi bien de
la droite que de la gauche, mais surtout elle devra se plier
à des contraintes imposées, non par l'homme, mais par
un environnement planétaire parfaitement indifférent aux
nuances et aux chicanes que pratique la pensée humaine.

---

1. H. Jonas, *Le Principe responsabilité*, *op. cit.*, pp. 279-280.

8

Les ressources du savoir

Il s'en faut bien que le monde intelligent soit aussi bien
gouverné que le monde physique. Car, quoique celui-là
ait aussi des lois qui, par leur nature, sont invariables, il
ne les suit pas constamment comme le monde physique
suit les siennes.

MONTESQUIEU.

L'intelligence humaine est, en définitive, le seul outil
dont dispose l'humanité pour s'échapper du cul-de-sac où
elle s'est engagée. C'est d'ailleurs l'usage de son intelligence qui l'a conduite à la situation où elle se trouve
acculée. Il faut maintenant qu'elle mobilise cette ressource
pour reconnaître l'issue et concevoir les actions qui permettraient de l'atteindre. Il ne s'agit plus, ici, de la diversité
des pensées politiques visant chacune — du moins le pré-
tendent-elles — à maximiser, dans l'environnement actuel,
le bien-être des individus dont elles ont, ou aimeraient
avoir, la charge. Il s'agit de concevoir une adaptation globale de l'homme au caractère limité de son environnement.
Mais bâtir le savoir ne suffit pas ; il faut aussi transformer
ce savoir en des croyances, en des convictions assez géné-
ralisées pour engendrer des actions collectives. Construire
les savoirs nécessaires puis les faire reconnaître pour les

transformer en actions, c'est là le seul chemin possible. Or c'est un chemin hasardeux parce que les croyances ont tendance à se construire sur des fondements fragiles et à précéder toute consolidation des savoirs ou à les ignorer.

La conception et l'action ne sont pas des étapes qui se succèdent strictement dans le temps; elles sont fortement imbriquées. On observe cette imbrication dans la lutte engagée contre l'altération du climat. L'action politique y est dès aujourd'hui impliquée alors même que les savoirs sur lesquels elle se fonde sont encore imparfaits et sans doute promis à le demeurer. Ce problème climatique n'est pas unique, il en existe beaucoup d'autres. À supposer qu'il soit maîtrisé — ce qui est loin d'être le cas — et à supposer qu'il puisse l'être sans avoir des effets négatifs sur d'autres aspects comme ceux de l'énergie, le problème des limites planétaires demeurerait entier; seules des échéances critiques concernant l'usage des combustibles fossiles pourraient être reportées. Lorsque, en 1948, Fairfield Osborn publia *La Planète au pillage*, il concluait qu'« il n'en reste pas moins impossible de compter sur les nouvelles ressources à [...] provenir [de la planète] pour arrêter l'élan terrifiant des attaques dirigées contre les ressources vitales naturelles du monde entier[1] ». Deux éléments majeurs du tableau actuel étaient pourtant absents de son analyse : l'épuisement de la ressource pétrolière et l'altération du climat. Ni l'un ni l'autre n'étaient encore reconnus, mais leur apparition ne fait que conforter sa conclusion globale sur les effets de « la pression toujours accrue d'une population sans cesse grandissante[2] ». Ce manque dans les fondements de sa réflexion n'entame pas la clairvoyance de cet auteur, il ne fait que refléter les lacunes dans la connais-

---

1. F. Osborn, *La Planète au pillage, op. cit.*, pp. 201-202.
2. *Ibid.*

sance du milieu naturel qui subsistaient, il y a un demi-siècle, et rien ne garantit qu'il n'en subsiste pas d'autres dont nous n'avons pas encore pris conscience. Dans l'appréhension du problème global, les sciences de la nature ne sont pas les seules qui soient en cause. L'altération de l'environnement physique et biologique est la source de la tension, mais la réaction sociétale en détermine les effets et l'issue. Ainsi, tout l'éventail des sciences humaines est directement concerné. Et c'est surtout l'articulation entre les dimensions humaines et naturelles du savoir qui joue un rôle déterminant dans l'élaboration d'une stratégie globale. Pour apprécier les efforts entrepris afin d'approfondir les connaissances pertinentes et leurs éventuelles faiblesses, il est cependant commode d'user d'une approche disciplinaire.

La connaissance de la planète

La connaissance de l'état de la Terre, dans ses dimensions physique et biologique, est le fondement de toute démarche visant à assurer la permanence d'une société humaine à sa surface. Depuis que cette société exerce des effets importants et durables sur la planète, la connaissance des réactions de cette planète aux atteintes de l'homme est la base de toute stratégie de pérennité. Or cette connaissance est tout à la fois récente et encore très imparfaite. D'énormes lacunes ont été comblées au cours du dernier demi-siècle, mais, à l'intensité des débats qui agitent le cercle des spécialistes sur l'altération du climat, on mesure que, sur un sujet qui fait l'objet d'un effort de recherche massif et coordonné, le consensus est loin d'être parfait. Et je parle ici des spécialistes reconnus, non de ceux qui, venus de tous les horizons, sont attirés par l'éclat médiatique du sujet, par la recherche d'une notoriété douteuse et par les délices de la polémique.

La connaissance de la Terre comporte deux composantes distinctes mais indissociables, le monde de la matière et celui du vivant. Sur l'une et l'autre, l'évolution technique nous a dotés d'un outil radicalement nouveau, l'observation spatiale. Il convient de bien en apprécier la puissance et les limites. Avec les satellites d'observation de la Terre, on accède à l'observation globale de la planète et à la vision directe des phénomènes à grande échelle comme les perturbations météorologiques ou la fusion de la banquise polaire. Sa puissance réside d'abord dans le fait que, moyennant le choix d'une orbite appropriée, on peut couvrir en vingt-quatre heures la totalité de la surface de la planète avec le même instrument. Le satellite est susceptible de fournir divers types de services. En premier lieu, il est immergé dans un flux de rayonnements émis par la planète. Ces rayonnements transportent une énorme masse d'informations très diverses sur la région qui les émet, que ce soit l'atmosphère, les continents ou les océans. L'analyse de ce rayonnement donne accès à une très grande diversité de données telles que la température de l'atmosphère et de la surface des océans, l'image des perturbations météorologiques, etc. Les images à haute définition permettent l'observation des activités humaines et de leurs effets locaux sur l'environnement. On a construit des satellites qui « éclairent » la Terre avec un faisceau d'ondes électromagnétiques et en obtiennent des images en l'absence de lumière solaire et quelle que soit la couverture nuageuse : ce sont les satellites radars et les satellites altimétriques. Ces derniers permettent de mesurer, avec une précision millimétrique, l'élévation du niveau des océans qui témoigne de leur dilatation thermique et de la fonte des inlandsis polaires. Les champs que la Terre étend dans l'espace, champ magnétique et champ gravitationnel, sont une autre catégorie de phénomènes auxquels le satellite donne un accès global ; ces champs nous renseignent sur la structure interne du globe, mais aussi sur les inhomogénéités des couches superficielles révélatrices de gisements.

Cependant, tout n'est pas directement accessible à l'observation spatiale : la structure interne des océans, par exemple, lui échappe parce que aucune onde électromagnétique ne peut se propager dans le milieu marin. Mais, outre celle d'observer directement la Terre, les satellites possèdent une autre capacité d'une importance considérable, celle de collecter les informations recueillies par des capteurs terrestres ou marins, et retransmises vers l'espace par un émetteur associé à ces capteurs. Les satellites de « collecte de données » permettent ainsi de couvrir les océans et les zones peu accessibles de réseaux d'instruments qui fournissent une information globale sans exiger de présence humaine. Dans le cas des instruments océaniques, comme les bouées dérivantes, le satellite détermine aussi leur position. C'est ce type de services que fournit par exemple le système Argos — connu du grand public par son usage dans les courses au grand large. Pour des balises placées sur les zones continentales, la précision de la localisation peut être poussée jusqu'au niveau millimétrique. Avec les balises du système Doris, on peut « voir » la dérive des continents — quelques centimètres par an. On fournit ainsi à la géodésie globale de la Terre un outil d'une puissance inégalée.

Le domaine d'efficacité de l'observation spatiale est susceptible de s'étendre davantage. On ne mesure pas encore, mais on pense pouvoir le faire, les précipitations là où l'on ne sait pas installer de pluviomètres, et en particulier sur les océans. On mesurera bientôt la salinité de surface des océans. Ce sont deux éléments importants de la machine climatique pour lesquels on en est encore réduit à des mesures de surface.

Quant à l'évolution de la vie sur la planète, les satellites permettent de mesurer avec exactitude la réduction de la forêt amazonienne, mais il est probable qu'ils ne permettront jamais de surveiller, sinon les activités des pêcheurs, du moins l'état des réserves halieutiques.

L'un des problèmes que pose la connaissance de la Terre est l'articulation de l'observation spatiale — et plus généralement de la technique spatiale — avec l'observation terrienne au sein de réseaux intégrés. C'est là que s'introduit la notion d'« observatoire ». L'observation est le fondement de toute la recherche sur la Terre ; c'en est aussi la composante la plus coûteuse. Dans les disciplines géophysiques, elle absorbe environ 80 % des moyens financiers investis. Dans de nombreux domaines de la recherche, la continuité des observations est une exigence essentielle. C'est ainsi que, pour définir le climat d'une région — et ses éventuelles évolutions —, il faut disposer de séries d'observations portant sur plusieurs dizaines d'années de façon à pouvoir établir des moyennes qui effacent la variabilité annuelle. Un observatoire géophysique est un lieu, terrien ou spatial, où l'on observe de façon suivie un ou plusieurs paramètres de l'environnement terrestre[1]. La Terre étant un objet d'étude sur lequel on ne peut guère expérimenter, ou seulement de façon involontaire en altérant son atmosphère par des rejets, l'observation est la seule source du progrès des connaissances. À partir des données de l'observation, on peut bâtir des modèles et des théories, mais sans ce fondement aucun progrès de la connaissance n'est possible. L'étude de la détérioration de la planète appelle donc

1. Bureau des longitudes, *Les Observatoires, observer la Terre*, Paris, Hermann, 2009.

le développement d'un système global d'observation fondé sur des observations terriennes et sur des outils spatiaux. La nécessité de cette démarche a été reconnue au niveau politique lors du Sommet mondial du développement durable, à Johannesburg en 2002, puis au G 8 d'Évian en juin 2003, enfin au Sommet mondial de l'observation de la Terre en 2003 à Washington, mais les progrès sont lents. Un grand nombre de structures internationales préexistaient, ou sont apparues sous des sigles variés, qui tendent à converger vers l'objectif d'un effort global : GOS, CEOS, GCOS, GOOS, GTOS, IGOS. Elles contribuent à la construction d'un assemblage de différents systèmes dans le GEOSS (Global Earth Observation System of Systems) qui fédère les contributions nationales à l'observation et qui pourvoit au partage des observations entre les participants. Il s'agit donc plutôt d'un assemblage de contributions nationales, qui, chacune, gardent leur autonomie et leur gouvernance, que du partage concerté d'un système d'observation qui aurait fait l'objet d'une conception globale. L'alternative à cette structure, en l'état politique du monde, serait un système placé entièrement sous le *leadership* des États-Unis. Les progrès vers une cohérence sont sensibles, ils partent d'une concertation active entre les spécialistes, mais ils se heurtent à de sérieux obstacles.

L'observation spatiale, qui est la clef de voûte du système, comporte une composante météorologique qui repose sur un ensemble de satellites en orbite basse et de satellites géostationnaires. Cette composante a atteint une grande maturité. La nécessité de sa pérennité n'est plus contestée. Elle est confiée à des agences spécialisées — Eumetsat en Europe, la NOAA aux États-Unis — qui assurent son financement et qui organisent l'accès aux données. Mais cet outil puissant n'a pas été créé pour surveiller l'évolution de la planète : il l'a été pour assurer la prévision du temps et cette base lui fournit, à elle seule, sa légitimité économique et politique. Il se trouve qu'il s'insère dans le système global d'observation et qu'il en forme une composante indispensable, mais cela s'est fait de façon presque fortuite.

La situation est moins assurée pour ce qui est des autres composantes d'un système spatial complet. Les difficultés sont de plusieurs natures. La première concerne le passage de l'« expérimental » à l'« opérationnel ». Ce jargon technique désigne le passage des essais d'un nouveau moyen d'observation à celui où sa pérennité est assurée par des engagements institutionnels. Les satellites météorologiques sont « opérationnels », mais dans le domaine de l'observation de la Terre, si l'on veut bien écarter les satellites militaires, il n'en existe pas d'autres.

Plusieurs facteurs rendent difficile le passage du stade expérimental au stade opérationnel. En premier lieu, il n'est pas aisé de trier, parmi la multitude des types d'observation que peut fournir la technique spatiale, ceux dont il est nécessaire d'assurer la pérennité. En second lieu, les satellites expérimentaux sont généralement financés par des agences spatiales comme l'ESA ou la NASA dans le cadre de leurs programmes. Or ces agences ont une vocation de développement technologique ; elles ont été créées pour cela ; elles n'ont pas vocation à se charger de l'exploitation opérationnelle des outils qu'elles ont créés. Il faut que se fasse un transfert de responsabilité institutionnelle, ce qui n'est jamais aisé. Cette démarche est maîtrisée pour les satellites météorologiques, mais ce modèle est loin d'être généralisé à l'ensemble de l'observation environnementale.

Par ailleurs, il est difficile d'obtenir l'engagement des États dans le financement à long terme d'une production de données qui n'ont pas d'utilisation immédiate et économiquement significative. C'est cela qui explique l'avance prise par l'observation météorologique, pour laquelle une demande sociétale existe depuis longtemps. Exemplaire de ces difficultés est l'évolution de l'altimétrie satellitaire des océans. La connaissance du niveau des océans est un élément indispensable de la surveillance environnementale. Le satellite expérimental Topex-Poséidon, construit dans le cadre d'une coopération franco-américaine, a permis, pour la première fois, la connaissance de cette donnée avec une précision millimétrique. Lui ont succédé les satellites Jason 1 et 2, conçus comme des satellites « pré-opération-nels », pour assurer les mêmes fonctions. Il ne leur man-quait, pour être « opérationnels », qu'une garantie institu-tionnelle adéquate. Ce stade semble atteint pour Jason 3, mais la longueur du processus, qui s'est déroulé sur plus de vingt ans, donne une mesure de sa difficulté.

Pour aller à l'essentiel, les difficultés que rencontrent la conception et la mise en place d'un système d'observation spatiale global et permanent émanent de deux sources.

Il y a d'abord la répugnance des États et des institutions nationales à se fondre dans un effort global.

Il y a surtout la difficulté des États à s'engager fortement dans un domaine qui n'est pas promis, au moins dans l'im-médiat, à un grand éclat médiatique ni réclamé par un uti-lisateur doté d'un poids politique important. L'un ou l'autre de ces éléments est présent dans les composantes de l'activité spatiale qui obtiennent plus aisément d'être finan-cées par de l'argent public : les satellites militaires, les explorations planétaires et, naturellement, les vols habités.

Il en résulte une démarche d'ensemble qui, pour n'être pas dérisoire, n'est cependant pas à la mesure de l'enjeu environnemental auquel elle répond. C'est d'autant plus paradoxal que l'effort financier nécessaire pour construire un tel système spatial est non seulement modeste quand

on le rapporte aux moyens dont disposent les pays développés, mais également par rapport aux budgets publics
que consomme l'activité spatiale.

Tout ce qui précède concerne presque exclusivement le
problème climatique qui est, en l'état actuel des choses, le
seul sur lequel l'attention des cercles politiques, des médias
et d'une fraction de l'opinion publique soit clairement
mobilisée. Ce problème tend d'ailleurs à occulter toutes les
autres composantes du problème global de l'enfermement
planétaire au point que le problème capital des ressources
énergétiques, par exemple, est abordé surtout à travers la
nécessité de réduire les rejets de CO_2. Mais les autres composantes du problème des limites relèvent de la même
nécessité d'asseoir la politique sur une science empirique
aussi complète que possible.

Plusieurs facteurs tendent à rendre la constitution
du savoir nécessaire plus ou moins difficile : le degré de
globalité des problèmes, l'intervention d'intérêts financiers privés ou nationaux par l'intermédiaire du droit de
propriété, le caractère nécessairement transnational de
certains phénomènes naturels comme le cours des fleuves.
Il est peu de phénomènes dont le caractère de globalité soit
aussi absolu que celui du climat, mais de nombreux problèmes associent une composante globale à une composante transnationale ou locale. C'est ainsi que le problème
des ressources en eau douce peut être abordé par sa composante globale, l'évolution de la pluviosité qui est fonction
de l'évolution climatique, par ses composantes régionales
lorsqu'il s'agit d'exploiter la ressource que constitue un
fleuve qui traverse les frontières, ou de façon locale pour
réguler l'exploitation d'une nappe phréatique comme celle
de la Beauce.

Quant aux gisements minéraux et à certaines réserves
biologiques — les réserves halieutiques par exemple —,

leur connaissance même, pour ne rien dire de leur exploitation, se heurte aux intérêts de leurs détenteurs ou de leurs exploitants, privés ou publics, qui entravent l'évaluation des ressources.

Il n'en reste pas moins que, dans tous ces domaines, le perfectionnement de la connaissance est aussi important que dans le cas du climat. Le privilège dont jouissent les études climatiques repose sur le fait que l'accroissement des connaissances, outre qu'il exige un effort global, est indistinctement utile à tous les acteurs nationaux, à l'exception, naturellement, de ceux qui tirent provisoirement la totalité de leurs ressources financières de l'exploitation immodérée du pétrole.

Ainsi, c'est au niveau de l'acquisition des connaissances scientifiques que s'établit une première interaction avec la dimension sociétale du problème global.

Économie

La dimension sociétale du problème planétaire doit être appréhendée en elle-même et non comme un simple prolongement de sa dimension empirique. L'une concerne l'origine des sources de tension, l'autre la réaction de la société à ces tensions. Plusieurs disciplines académiques sont concernées, qu'il faut quelque peu détourner de leurs préoccupations habituelles. Ce sont au premier rang — sans exclure d'autres modes d'approche comme la réflexion philosophique — l'économie, la sociologie et la démographie.

Toutes ces disciplines ont été façonnées à des degrés divers, au cours des siècles passés, par l'état de la société et la nature des problèmes qu'elle affrontait. Elles ont été confrontées, indépendamment de toute référence aux limites planétaires, à l'évolution du système technique et au processus de mondialisation qui en résulte. Une sociologie de la globalisation n'aurait pas eu beaucoup de matière au début du siècle dernier.

De ces trois disciplines, l'économie est celle qui requiert l'effort d'adaptation le plus important. Il convient de distinguer la science économique du système économique dans lequel son activité s'inscrit. La réforme de ce système économique est en soi un sujet de réflexion, mais je ne l'aborde pas à ce stade. Je me borne, dans ce qui suit, à examiner les inadéquations, pour l'appréhension des problèmes planétaires, de la discipline économique telle qu'elle est communément pratiquée et de sa relation avec le pouvoir politique. Deux facteurs sont à l'origine de ces inadéquations : le dogme de la croissance et le caractère borné de l'horizon temporel dans lequel l'économie opère et auquel sont adaptés les outils qu'elle manie.

L'étude conduite par Nicholas Stern sur la lutte contre l'évolution du climat est exemplaire de ces limitations. Nicholas Stern se saisit — ou plutôt il est saisi par le chancelier de l'Échiquier — d'un problème spécifique, celui de la rentabilité des investissements nécessaires pour contenir l'évolution du climat et pour s'y adapter. L'analyse de ce rapport par Olivier Godard dans la revue *Futuribles* a fourni beaucoup d'éléments à ce qui suit[1]. Stern s'appuie sur une technique économique classique, l'analyse coût-avantage, qui rapproche, de ce qu'il faut investir dans le présent, les bénéfices attendus dans un avenir plus ou moins lointain. Elle implique une monétisation des deux termes de la comparaison et elle introduit pour cela une correction classique, le taux d'actualisation, qui définit une

---

1. Olivier Godard, « L'économie du changement climatique. Le rapport Stern un an après », *Futuribles*, n° 334, octobre 2007, pp. 26-42.

équivalence entre des flux de capitaux intervenant à des époques différentes. Pour mettre en œuvre cette méthode, il faut fixer la période sur laquelle porte l'analyse. Dans les usages classiques, c'est la durée qui sépare le démarrage d'un projet de sa mise en exploitation ; dans l'usage qu'en fait le rapport Stern, il faut choisir de façon quelque peu arbitraire un horizon. Il a choisi pour cela l'horizon 2200, c'est-à-dire une durée un peu inférieure à deux siècles. Cette durée excède très largement le domaine d'utilisation classique de la méthode coût-avantage. En rapprochant ainsi l'urgence d'une intervention mettant en œuvre des investissements immédiats et les bénéfices qui en sont attendus à une échéance qui excède nettement la durée de la vie humaine, on rencontre un premier élément qui est étranger au cadre habituel : ce sont des générations différentes qui consentent l'effort et qui en recueillent les bénéfices. De ce fait, deux considérations perturbent le cours habituel du raisonnement. La première est de nature éthique : quel poids faut-il accorder au bien-être des générations futures en regard des sacrifices demandés à la génération actuelle ? Aucune approche rationnelle ne peut donner accès à ce choix. Si on lui donne une valeur nulle, cela signifie qu'aucun effort n'est nécessaire de notre part — « après nous le déluge ». L'équipe Stern a donné un poids égal à chaque génération sur toute la période analysée. Cependant, une hypothèse de croissance, sur la même période, du revenu moyen de l'individu introduit une correction ; sa justification est que l'importance d'un gain donné décroît lorsque la richesse de l'individu s'accroît. Le taux de croissance retenu par l'équipe Stern est de 1,3 %. Sur ces bases, le taux d'actualisation qui permet de rapprocher les flux financiers et futurs a été fixé à 1,4 %.

Ce choix a été violemment critiqué par un grand nombre d'économistes, au premier rang desquels William Nordhaus qui, pour l'analyse du même phénomène, détermine un taux d'actualisation de 4,5 %. Un tel écart est anodin lorsqu'il s'agit de financer un équipement qui sera amorti sur une dizaine d'années. Sur une période de deux siècles, il en va autrement parce qu'il crée une divergence des résultats qui croît exponentiellement avec le temps. Aussi les évaluations du dommage causé par l'émission d'une tonne de CO_2 diffèrent-elles entre Nordhaus et Stern d'un facteur 20, dont la moitié est attribuable au taux d'actualisation. Cela détermine, sur ce qu'il convient de faire, des attitudes différentes qui, curieusement, sont en harmonie avec l'attente des gouvernements respectifs des auteurs : agir immédiatement dans le cas du gouvernement britannique, attendre et voir venir pour l'administration Bush et pour les lobbies pétroliers et charbonniers qui la contrôlaient. C'est sans doute cela le « réalisme politique » qui bride la pensée économique.

On peut dire, sans entrer dans une analyse technique détaillée, qu'une divergence aussi massive dans l'utilisation d'une méthode prétendument quantitative provient d'une même source : si la méthode est quantitative, les données d'entrée relèvent de choix largement arbitraires qui convergent sur la détermination du taux d'actualisation. De sorte que l'on peut soupçonner que le choix des paramètres d'entrée est fondé sur le dessein de parvenir à un certain résultat, en d'autres termes que la démarche est tautologique. On peut soupçonner également que le choix du résultat s'ajuste à un objectif politique. Dans le cas du rapport Stern, il s'agissait d'apporter un appui au gouvernement britannique dans ses efforts pour faire sortir le président des États-Unis de l'époque, George W. Bush, de son attitude de déni. Peine perdue car, comme le dit la sagesse populaire, on ne peut pas forcer à boire un âne qui n'a pas soif. Dans le cas de William Nordhaus, on constate que ses hypothèses s'ajustent à la politique *business as usual*, c'est-à-dire à la priorité au maintien de la croissance. Il suffit pour cela d'adopter, pour traiter de l'avenir planétaire, les choix qui prévalent dans le court terme et qui sont déterminés par les pratiques d'évaluation du retour sur investissement. Autrement dit, d'ignorer la dimension inéluctablement éthique qui s'attache aux relations intergénérationnelles et d'étendre sans précaution des démarches construites sur le court terme dont cette dimension éthique est absente.

D'ailleurs, il subsiste, même dans le court terme, des éléments d'appréciation qui ne sont pas toujours accessibles à une estimation quantitative. Aurait-on construit cet équipement éminemment rentable, la tour Eiffel — et nombre des éléments de notre cadre de vie venus des générations passées — sur la base d'une analyse coût-bénéfice assortie d'un taux d'amortissement ? Plus généralement, la démarche coût-avantage appliquée à la gestion du long terme conduit à comparer un coût de production qui se prête aisément à une monétisation et une dégradation du patrimoine qui ne s'y prête pas. Comment monétiser la disparition des espèces et des forêts, l'altération des paysages, la qualité de l'air et de l'eau et, plus concrètement, l'épuisement des énergies fossiles et des gisements de métaux lourds ?

Il y a quelque aveuglement à attendre de cette technique modeste — quels que soient les raffinements laborieux que l'on peut y introduire — la solution des problèmes planétaires.

Pour autant, je crois que ce serait une erreur de jeter prématurément le rapport Stern aux poubelles de l'histoire. On peut lui reconnaître le mérite d'avoir confronté la discipline économique à un facteur absent de toutes les démarches qui puisent leur légitimité dans les lois du marché. Le marché, par nature, ne connaît pas de dimension éthique. Il est soumis à des régulations étatiques dont l'objet est de le faire fonctionner sans à-coups. La crise de 2007 a témoigné de la nécessité de ces régulations, ou plutôt du désastre immédiat que l'on risque, à vouloir les abaisser à l'excès. Mais la seule mesure du succès reste la croissance, mesurée par l'accroissement du PIB, et censée être la source de tout bien-être.

Nicholas Stern, dans le livre qu'il a tiré de son rapport, aborde ce problème de front lorsqu'il écrit : « Une analyse explicite de l'éthique est vitale ; bien qu'elle ne puisse pas, par elle-même, déterminer les valeurs sociales qu'il faut appliquer, elle peut aider à préciser les questions pertinentes et à identifier les incohérences. Il est remarquable que beaucoup d'économistes éludent pudiquement cette discussion et s'engagent, au lieu de cela, dans des tentatives vaines pour identifier, comme des conséquences du marché, une éthique prétendument "révélée" et des valeurs[1]. »

Cependant, en contrepoint de ce jugement, le rapport Stern adopte sans beaucoup d'examen l'idée d'un retour à la croissance et à la prospérité dans le long terme et il abstrait entièrement le problème climatique des autres menaces qui pèsent sur l'humanité. Sans doute cela excédait-il les limites de la commande que lui avait passée le gouvernement ; sans doute aussi ne faut-il pas exposer le pouvoir politique à des considérations trop complexes. Mais il reste que l'on peut saluer l'effort fait pour dégager la pensée économique des ornières du présent et des dogmes révélés de l'économie de marché. À en juger par la violence des réactions qu'il a suscitées de la part des inévi-

---

1. Nicholas Stern, *The Global Deal. Climate Change and the Creation of a New Era of Progress and Prosperity*, New York, Public Affairs, 2009, p. 75.

tables conservateurs — et qui ne sont pas sans rappeler celles qui ont accueilli le rapport Meadows —, cet effort n'a pas été tout à fait vain.

Le rapport Stern présente un autre intérêt. Il met en lumière la profonde inadaptation de la pensée économique et de ses méthodes aux problèmes du long terme. Certes, il introduit explicitement la dimension éthique dans les problèmes intergénérationnels, mais dans la pratique de la méthode coût-avantage cette introduction se réduit inévitablement à la justification d'un taux d'actualisation. L'arbitraire qui préside à ce choix, reflet de l'arbitraire des choix éthiques, est abondamment illustré par la dispersion des valeurs retenues par différents économistes et par la variété des justifications qu'ils formulent. On peut choisir d'entrer dans une discussion approfondie de ces choix, mais on peut aussi conclure, plus simplement, que la méthode est radicalement inadaptable. Comment croire que la construction globale d'une vision de l'avenir et des actions nécessaires pour l'atteindre puisse se fonder sur le choix d'un taux d'actualisation?

La conception d'une économie du long terme n'en est qu'à ses balbutiements. Elle doit nécessairement partir d'une critique du savoir économique actuel et des paramètres qu'il utilise pour construire ses évaluations et ses préconisations. Pour cela, il faut partir des contraintes qui s'imposent à long terme, et singulièrement du fait qu'une société pérenne est une société sans doute évolutive, mais stationnaire au regard de la consommation des ressources matérielles. Cette approche rend caducs, à terme, l'usage d'une croissance mesurée par le PIB et la recherche d'une solution des problèmes planétaires qui émergerait d'un retour à la « croissance ». Toute la logique que propose Nicholas Stern repose sur le traitement de la menace climatique conçue comme un accident temporaire qu'il suffit de traiter pour voir s'ouvrir, comme l'évoque le sous-titre de son livre, « une nouvelle ère de progrès et de prospérité ». Mais les problèmes créés par les contraintes planétaires ne sont pas temporaires ; ils ne sont pas seulement, comme l'écrit E. O. Wilson, un « goulet » qu'il faut franchir avec le moins de dégâts possible ; ils sont là dans la durée ; ils exigent que l'on s'y adapte ou que l'on disparaisse, et la pensée économique doit développer de nouvelles méthodes pour les affronter.

Au premier rang des instruments économiques inadaptés à la compréhension du long terme se place le PIB et, par voie de conséquence, la mesure de la croissance fondée sur l'usage exclusif de cet outil. Il ne s'agit pas ici des faiblesses bien connues du PIB dans l'analyse du court terme — comme celle qui consiste à comptabiliser comme un plus un accident qui déclenche une activité de réparation. Il s'agit d'une carence beaucoup plus générale. Dans son approche de la croissance, le PIB ignore la notion de patrimoine, patrimoine naturel, tel que les gisements, ou patrimoine hérité des générations passées. La dégradation de ce patrimoine ne fait pas partie des facteurs qu'il prend en compte. Cela le rend totalement inadapté à l'appréhension des problèmes du long terme qui sont, dans une mesure très importante, des problèmes de patrimoine. Par ailleurs, il assimile implicitement ce que l'on peut chercher à définir comme le bien-être à la production. C'est là une faiblesse qui concerne aussi bien le présent que le long terme. D'où la recherche d'un substitut qui mesurerait, non plus la production, considérée comme la source obligée du « bien-être », mais qui fournirait une mesure de cette notion de « bien-être », ou de qualité de vie, dont une société stationnaire pourrait continuer à rechercher la croissance.

Les recherches engagées dans cette direction, qui sont peut-être à même de donner à la notion de développement durable un contenu qui ne soit pas fallacieux, témoignent de l'émergence d'une prise de conscience. Mais, de l'élaboration d'une pensée économique nouvelle à la transformation du système économique, le chemin à parcourir reste très long.

Sociologie

Sociologues et démographes sont beaucoup moins engagés que les économistes dans une relation avec les cercles politiques ou avec les acteurs de la production qui polluerait leurs positions en fonction d'un prétendu « réalisme politique ».

Si l'on considère que la sociologie est une des clefs des comportements humains et qu'elle peut nous éclairer sur la façon dont les grands acteurs réagiront aux tensions du confinement planétaire, il est important d'examiner le degré d'adaptation de sa pratique actuelle aux problèmes du long terme. Je ne peux le faire que très sommairement parce que la sociologie n'a pas encore connu le début de mobilisation qui affecte l'économie et dont témoigne, par exemple, le rapport Stern. Elle se dégage progressivement, comme l'écrit Saskia Sassen, de « la correspondance [...] du territoire national et du national — la supposition selon laquelle une condition ou un processus situé au cœur d'une institution ou sur un territoire national est nécessairement national[1] ». Ainsi la sociologie réagit au phénomène de globalisation et à l'évolution du système technique qui a rendu possible cette globalisation. Mais cela ne concerne pas, ou

---

1. S. Sassen, *La Globalisation, op. cit.*, p. 9.

pas encore, la question des limites planétaires et des réactions qu'elles suscitent chez les acteurs globaux ou chez les acteurs nationaux qui étendent leur action à l'ensemble du monde. L'analyse des interactions entre ces différentes catégories d'acteurs — y compris les acteurs globaux dont la constitution est récente comme l'OMC (Organisation mondiale du commerce) — nourrit, pour l'essentiel, la géopolitique, c'est-à-dire les relations de puissance entre États-nations et celles du pouvoir de ces États par rapport aux structures de dimension globale.

On peut trouver une raison de ce retard de la pensée sociologique sur la pensée économique dans le fait que l'économie répond, bien plus que la sociologie, à une demande immédiate de prévisions et de lignes d'action. Cette différence abrite la sociologie, non bien sûr des choix idéologiques, mais de la pollution politique et de son influence négative. Négative parce qu'elle inhibe l'essor d'une réflexion libérée du « réalisme politique », c'est-à-dire du critère de faisabilité immédiate. Certes, on ne peut demander aux décideurs politiques de s'abstraire des contraintes qui pèsent sur leurs actions, mais il est important que ces contraintes n'oppriment pas la liberté de la pensée. Si le futur dépend de la façon dont pourront émerger de nouveaux comportements collectifs, la sociologie a plus à dire que l'économie sur cet aspect de l'avenir.

Démographie

Plus encore que la sociologie, la démographie est une science contemplative, du moins lorsque son objet est l'évolution de la population mondiale. Elle cherche moins à agir qu'à observer et à prédire. Il en va différemment lorsque la population d'un territoire national est en cause et lorsque les problèmes qu'elle pose sont abordés du point de vue des intérêts nationaux. Il s'opère alors une curieuse dissociation intellectuelle entre l'analyse des conséquences de l'évolution de la population globale et de celles de la population nationale. Un large degré de consensus existe aujourd'hui sur le fait que la croissance continue de la population mondiale fait peser une lourde menace sur l'avenir. Malgré cela, il s'est trouvé, et il se trouve encore, de nombreux démographes pour prôner la croissance de la population d'un pays comme la France et de nombreux politiques pour se réjouir de cette croissance. La contradiction entre ces deux attitudes n'est devenue évidente que récemment. Parmi ceux qui ont prêché une croissance de la population française, Alfred Sauvy est le plus connu. Il a résolu cette contradiction en écartant d'un revers de main le problème de la population mondiale. « La surpopulation du monde a été récemment dénoncée par divers auteurs qui comparent d'une façon trop simpliste le développement possible de la population du monde et celui des subsistances, sans bien distinguer la dépendance fonctionnelle entre les deux phénomènes. Ce problème est le plus souvent posé de façon si défectueuse que son étude conduit à des solutions inapplicables ou inadaptées à leur objet. Des conclusions pleinement rationnelles ne peuvent du reste prévaloir en une matière si incertaine. Aussi l'examen des populations des collectivités nationales ou sociales reste plus fructueux qu'une étude générale où les mobiles émotionnels prennent trop facilement le dessus[1]. » Il est vrai qu'Alfred Sauvy vivait à une époque où la menace pouvait paraître moins proche. À sa naissance, en 1898, la Terre ne comptait encore que 1,5 milliard d'habitants ; à sa mort, en

---

1. Alfred Sauvy, « Le "faux problème" de la population mondiale », *Population*, 4ᵉ année, n° 3, juillet-septembre 1949, pp. 447-462.

1990, cette population avait plus que triplé. Alfred Sauvy est encore suivi aujourd'hui par quelques personnages de moindre stature qui se positionnent dans le droit-fil du prix Cognacq-Jay et de la doctrine catholique.

Les sources de cette dichotomie entre le global et le national ne sont que trop évidentes. Le national est dominé par des enjeux géopolitiques immédiats en raison desquels l'accroissement de la population nationale est appréhendé comme une protection contre le poids démographique de voisins potentiellement menaçants, ou contre une pression migratoire que l'on juge déstabilisante. Ce sont d'ailleurs des considérations économiques et géopolitiques de même nature, mais jouant en sens inverse, qui ont conduit la Chine à freiner la croissance de sa population.

S'agissant de l'évolution de la population mondiale, les démographes l'observent. Ils constatent que sa croissance tend à s'infléchir et tentent d'analyser les sources de cette inflexion, sa répartition en fonction des niveaux de richesse des différents pays ou de la tendance au regroupement dans les mégapoles. Mais ils ne préconisent rien ou très peu. Sans doute n'est-il guère aisé de proposer une action tant elle se heurte à un enchevêtrement d'intérêts et d'idéologies.

Ce que l'on peut, de nouveau, appeler la pollution de la réflexion par le « réalisme politique » s'exerce au niveau national ; le niveau global y échappe, mais il est coupé de la relation avec l'action. Rien ne serait plus important, pourtant, qu'une théorie et une doctrine d'action sur la population mondiale car il ne sera pas suffisant qu'elle plafonne au voisinage de neuf milliards en 2050. L'existence même d'un avenir à long terme est liée à la possibilité de la faire régresser, sujet sur lequel aucune réflexion n'a été développée. Aucune société pérenne ne peut exister, et encore moins évoluer harmonieusement, avec le niveau de population actuel, pour ne rien dire de celui auquel nous sommes promis.

Il me semble utile, à ce point, d'introduire ou de rappeler un postulat éthique : la croissance de la population n'a pas le sens d'un supplément d'humanité. Quand la Terre portait moins de deux milliards d'hommes, la civilisation n'était pas moins authentiquement humaine qu'aujourd'hui, et même, à supposer que l'on ait marqué des progrès, ces progrès ne sont certainement pas l'effet de la croissance de la population.

★

La fragmentation des approches du problème global entre des catégories académiques est inévitable pour différentes raisons. Les structures qui se consacrent à l'élargissement du savoir sont organisées en disciplines et c'est à l'intérieur de ces disciplines que se construisent les enjeux de pouvoir, d'ambition, de carrière et de notoriété. À cela s'ajoute que l'étendue des savoirs concernés est telle que non seulement elle excède les capacités intellectuelles d'un individu, mais elle exige une spécialisation à l'intérieur du champ de chaque discipline. Il faut donc considérer comme acquise cette structure des savoirs. Il existe bien des organisations interdisciplinaires plus ou moins permanentes comme les *think tank* américains, mais elles ne font que rapprocher des individus de formations académiques diverses qui généralement partagent les mêmes credo politiques. Il n'existe pas, au niveau mondial, de structure interdisciplinaire qui traite spécifiquement du problème des limites planétaires. Il existe des unions scientifiques internationales comme l'UGGI (Union géodésique et géophysique internationale) ou l'UAI (Union astronomique internationale). Le Conseil international des unions scientifiques rassemble sous son égide pas moins de trente unions de ce type, la plupart relevant du domaine des sciences de la nature. Rares sont les organisations internationales qui regroupent des représentants des sciences sociales et des sciences dites « dures ». La FAI (Fédération astronautique internationale) a fait exception en ouvrant ses portes aux juristes, sans doute parce que l'expansion du système technique dans l'espace extraterrestre crée d'incontournables problèmes de droit international. Le GIEC rassemble également, quoique dans des groupes séparés, des climatologues et des économistes, mais son objet est étroitement limité au changement climatique et à ses conséquences. Il n'existe encore aucune enceinte scientifique internationale dans laquelle les problèmes de finitude planétaire soient examinés globalement, tant sous leurs aspects physiques et biologiques que sous leurs aspects sociaux. Cette absence traduit sans doute le fait que la prise de conscience du caractère global du problème et de son inquiétante proximité est encore déficiente et que l'on se borne à en traiter séparément les aspects déjà visibles.

9

Catastrophes, tensions et crises

Les tensions engendrées par les pénuries associées à la finitude planétaire sont susceptibles de provoquer des crises de nature à désorganiser le tissu social et les relations entre États, capables, par conséquent, d'empêcher la montée d'une réaction ordonnée et globale à la progression de ces pénuries. C'est là une dimension du problème qui ne peut être ignorée parce qu'elle touche à la capacité de réaction de la société devant les menaces qui mettent en question son futur. Il n'est d'ailleurs nullement besoin d'attendre que se manifeste une dégradation du contexte global pour observer des crises et leurs effets. Le monde tel qu'il est aujourd'hui en présente une grande diversité, et il en va de même de ce qui constitue le prolongement naturel de certaines d'entre elles, la montée de la violence et les guerres.

On ne peut guère créer des crises à seule fin d'expérimenter ; quand on le fait, c'est involontairement, par une action dont les conséquences n'ont pas été mesurées. Mais l'observation de celles qui surgissent, produits de causes très diverses, fournit à la réflexion un matériau abondant.

J'éviterai d'user du terme « catastrophe » pour évoquer les menaces que fait peser le caractère fini de la planète. « Catastrophe » évoque un événement soudain. « Malheur effroyable et brusque », dit le Robert. Naturellement, la soudaineté est une notion relative, mais « catastrophe » tend à désigner un événement dont la survenue et en général les effets sont brefs par rapport à la durée de la vie humaine. Ainsi d'un séisme, d'un tsunami ou d'un accident nucléaire. On parle de la catastrophe de Tchernobyl qui débuta par une explosion.

L'existence de l'humanité n'est guère menacée par les catastrophes naturelles ; elle y a survécu au long des siècles. En revanche, une catastrophe engendrée par les activités humaines, qu'elle soit accidentelle ou volontaire, peut avoir des effets globaux et irréversibles.

Le déclenchement d'un conflit nucléaire massif entre les deux puissances qui possèdent un arsenal démesuré, les États-Unis et la Russie, pourrait faire régresser l'humanité jusqu'à un niveau à partir duquel elle ne pourrait plus se reconstruire. Il me semble vain de chercher à estimer la probabilité d'une telle catastrophe. Il est seulement certain que l'on ne peut l'exclure et qu'il est utile de mettre en œuvre tout ce qui permettrait de l'éviter. Mais ce n'est pas un problème du long terme ; c'est un problème d'actualité et qui le restera pour des temps indéterminés. Un élément nouveau par rapport aux guerres qui ont précédé l'ère nucléaire est susceptible d'atténuer la menace de déclenchement : le fait que, pour le décideur politique qui « appuiera sur le bouton », son geste signifiera sa propre mort et pas seulement celle des enfants qu'il envoyait autrefois mourir aux frontières.

On ne peut pas non plus exclure l'éventualité d'un désastre biologique engendrée par un virus provenant soit d'une mutation naturelle, soit d'une manipulation. Je ne crois pas nécessaire de m'attarder davantage sur ces diverses éventualités parce qu'elles relèvent, je le répète, du présent des choses et non d'une menace future.

Je parlerai donc, non de catastrophes, mais de « crises », qui sont des événements dont le rythme laisse le temps à l'action humaine d'intervenir.

Les crises

La crise économique qui s'est déclenchée en 2007 ne fut pas produite par les contraintes planétaires. Elle est ce que l'on pourrait appeler une crise de la complexité. Elle est l'effet d'un dysfonctionnement du système capitaliste actuel et, plus précisément, de sa composante purement financière, monstrueuse tumescence au sein de laquelle les transactions n'ont plus guère de relation avec ce que, par un reste de sagesse, on appelle « l'économie réelle ». Ce cancer a proliféré sur le développement d'outils financiers complexes dont ceux qui les détiennent ne connaissent plus ni le contenu ni les sources qui en garantissent la valeur. De sorte que l'on a vu apparaître le terme d'« actifs toxiques » pour désigner des actifs qui puisent leurs racines dans des créances douteuses et que, par la titrisation de ces créances, on a diffusés dans les structures de la finance mondiale. Le fait que beaucoup de banques aient littéralement « découvert » qu'elles détenaient ces actifs toxiques donne la mesure de leur absence de maîtrise du système financier qu'elles ont elles-mêmes bâti.

Le capitalisme financier dans sa forme actuelle repose sur un acquis récent du système technique, les télécommunications intercontinentales, sans lesquelles il n'aurait pu atteindre les dimensions gigantesques et aberrantes qui sont les siennes aujourd'hui. Quelques chiffres en donnent la mesure pour lesquels il est commode d'introduire une nouvelle unité, le téradollar (mille milliards de dollars). Pour l'année 2002, l'ensemble des transactions financières se monte à 1 155 téradollars. Ce chiffre ne parle pas à l'esprit, mais si on le divise par le nombre d'habitants de la planète, on aboutit à 177 000 dollars par an et par habitant, ce qui est démesuré par rapport aux ressources individuelles moyennes qui sont de l'ordre de 8 000 dollars par an. Autre élément de comparaison, il est de l'ordre de vingt fois le PIB mondial. Sur ces 1 155 téradollars, 32 seulement correspondent à des transactions sur les biens et les services, soit moins de 3 % ; tout le reste est constitué de transactions purement financières : achats de produits financiers, échanges de devises, etc. Ce n'est pas ici le lieu d'examiner le poids dont cette économie financière pèse sur l'économie réelle en opérant un prélèvement sur ses gains au bénéfice des spéculateurs et en fournissant les revenus élevés d'une importante population d'improductifs. Je me bornerai à examiner deux aspects qui intéressent plus directement mon propos. Il s'agit, d'une part, des réactions du pouvoir politique que cette économie suscite et, d'autre part, de sa relation avec le système complexe qu'elle affecte.

Sur le premier point, beaucoup espéraient, notamment parmi les écologistes, que le traitement de la crise serait exemplaire des capacités de la société à réagir aux crises globales du futur. Cependant leurs espoirs ont été déçus. Ce que l'on observe est d'abord la volonté de revenir à la situation antérieure au prix d'un ajustement minimal et de retrouver, au moins pour un temps, le taux de croissance indispensable au bon fonctionnement du système libéral. En d'autres termes, il s'agit d'absorber, par tous les moyens appropriés, un phénomène temporaire, un cahot comme le fut la crise de 1929, et de reprendre à peu de chose près les pratiques antérieures. En outre, la crise a mis en lumière le rapport de force entre les acteurs du système financier global et les pouvoirs politiques, et elle a permis de mesurer soit l'incapacité, soit l'absence de volonté de ces derniers d'imposer une réforme profonde. De sorte que ce qui prévaut, c'est la volonté de retourner aux ornières qui ont conduit à la crise, avec la perspective de voir le scénario se renouveler. Mais si l'on peut prétendre, avec quelque optimisme, qu'il s'agit, avec la crise de 2007, d'un phénomène passager qui n'a aucune raison intrinsèque de se reproduire, il en ira tout autrement des crises issues de la rencontre avec les limites planétaires qui, elles, sont inéluctables.

Un second aspect de cette crise financière est qu'elle est un exemple de dysfonctionnement majeur d'un système complexe. Personne n'a souhaité qu'elle survienne ; elle est l'effet désastreux de nombreuses actions individuelles, dictées par la recherche du profit, qui ont fait sortir le système financier de sa zone de stabilité. Il existe une analogie entre cette crise et l'accident de Tchernobyl. Dans ce dernier, il semble qu'un groupe d'ingénieurs et de techniciens insuffisamment compétents se soient volontairement livrés sur le réacteur à une expérience dont les effets ont échappé à leur contrôle. Il en va de même de ceux qui, en recherchant des créances douteuses, ont fait basculer le système financier dans la crise. Ni les uns ni les autres n'ont voulu la crise, mais ils l'ont provoquée en perturbant un système complexe insuffisamment sécurisé contre des actes dangereux.

Le terme de « crise » recouvre une variété de phénomènes sociétaux parmi lesquels il est utile d'établir des distinctions selon la nature des causes et des effets qui leur sont attachés.

Parmi les causes, on peut envisager, comme on vient de le voir, d'abord des actes inconsidérés dont l'effet est de déstabiliser l'un de ces systèmes complexes sur lesquels repose le fonctionnement de la société. La stabilité de ces systèmes est et demeurera une source de menaces ; ils sont de nature extrêmement diverse. Certains, comme le système de production et de distribution de l'électricité, sont presque exclusivement techniques. D'autres, comme le système financier, ont une composante sociale nettement dominante, même si leur existence repose, comme toutes les activités humaines, sur un substrat technique.

Tous les systèmes ont évolué du niveau local ou régional vers le niveau global et, de la même façon, les crises qui les affectent tendent à propager leurs effets à l'ensemble du monde. Un dysfonctionnement de la distribution électrique traverse aisément les frontières européennes. Né d'une manœuvre intempestive au Danemark, il plonge l'Italie dans l'obscurité. Une perturbation qui affecte le prix du blé américain engendre des émeutes de la faim en Afrique. Une cessation de paiement dans un minuscule émirat du Golfe provoque instantanément un minikrach des Bourses européennes. C'est là un phénomène relativement récent qui est indissociable d'un état du système technique et, en particulier, des systèmes de télécommunications et de transports.

Les systèmes de nature essentiellement technique sont le plus souvent contrôlés par des groupes fortement structurés dont la motivation dominante est de les faire fonctionner au mieux. Ils n'échappent pas pour autant à des collapsus, mais c'est contre la volonté de tous ceux qui veillent sur leur bon fonctionnement que ces systèmes connaissent des crises ou des effondrements du fait d'incidents techniques ou d'erreurs humaines — erreur de mise en œuvre ou stratégie d'investissement erronée —, ou encore d'actes hostiles.

Il en va tout autrement des systèmes dans lesquels la composante sociale est dominante. Qu'il s'agisse des systèmes politiques ou des systèmes économico-financiers, ils ne sont pas le produit d'un dessein d'ensemble. Ils évoluent en s'adaptant aux événements qui les affectent par l'effet d'une multitude d'initiatives locales plutôt que par celui d'une volonté centrale. En outre — et cela est particulièrement vrai du système financier —, ses acteurs ne sont pas exclusivement motivés par le souci d'assurer son fonctionnement harmonieux, mais surtout par les profits qu'ils peuvent en tirer, fût-ce au prix de manœuvres dangereuses. Et c'est paradoxalement cette recherche inconsidérée du profit qui fait basculer le système dans la crise et dans les pertes qu'elle engendre.

Dans tous les cas, l'établissement de règles imposées par les États est le seul moyen de prévenir la déstabilisation d'un système complexe. Pour un système technique, ces règles sont relativement aisées à définir, à faire adopter et à contrôler. Leur plus ou moins grande rigueur est adaptée à la dangerosité du système et à sa sensibilité aux perturbations. C'est ainsi que les transports aériens internationaux sont encadrés par un ensemble de règles strictes sur lesquelles veille l'Organisation de l'aviation civile internationale (OACI). La tâche est rendue plus aisée par la convergence de l'intérêt général et de celui des principaux acteurs. Cette convergence n'est pas aussi présente, pour de multiples raisons, dans les grands systèmes politico-économiques. En outre, le comportement de ces derniers est beaucoup moins intelligible que ne l'est celui des systèmes techniques, la capacité de leurs acteurs de s'imposer mutuellement des règles est nettement plus réduite et la tentation de contourner ces règles infiniment plus forte. Ces règles sont codifiées par le pouvoir politique. Leur resserrement se heurte à des oppositions de nature politique qui reflètent le conflit intrinsèque entre la quête du profit et le maintien de l'équilibre du système qui permet ce profit. Il est bien connu que, dans un système économique, la situation la plus favorable est celle de l'acteur qui parvient à s'affranchir des règles que tous les autres observent. Il existe donc une pression permanente des acteurs pour contourner les règles ou, naturellement, pour occuper tout l'espace que dégage leur assouplissement. Assouplir les règles du système financier, c'est ce qu'a fait l'administration Bush en autorisant des pratiques jusque-là illégales, et sans prêter une attention suffisante à la stabilité du système.

Crises de la finitude

Un problème critique du long terme est de savoir ce que seront les crises engendrées par les tensions de la finitude. On peut penser qu'elles posséderont deux caractères généraux dont l'un est absent des crises actuelles.

En premier lieu, ce seront des crises de pénurie comme il en existe déjà beaucoup dans le monde : pénuries de nourriture, d'eau potable, d'énergie.

C'est un fait d'expérience que certaines des crises actuelles provoquent un élan de solidarité souvent porté par les ONG. Il en va de même des détresses provoquées par les catastrophes naturelles. Certains caractères de la crise semblent déterminants dans l'émergence d'une réaction de solidarité. Il faut que la crise soit perçue comme locale, accidentelle et transitoire, autrement dit que, par une réaction limitée dans le temps, on puisse la faire disparaître ou en atténuer les effets. On ira pour cela jusqu'à une ingérence temporaire dans les affaires de l'État sur le territoire duquel elle se produit. C'est ainsi que l'on porte secours, ou que l'on tente de le faire, aux réfugiés du Darfour et qu'un tremblement de terre ou un tsunami suscite un élan solidaire, souvent fugace. En regard de cela, les grandes crises de pénurie que j'ai déjà évoquées, celles qui sont la traduction des inégalités extrêmes dans l'accès aux ressources primaires et qui maintiennent dans un état de sous-alimentation de masses humaines immenses, ces crises-là sont aisément acceptées par les nations développées qui ne les subissent pas. Pourquoi ce contraste? Sans doute parce que les interventions sur des accidents limités ne portent pas atteinte au niveau de vie des pays qui les mettent en œuvre. C'est l'équivalent de la charité bien ordonnée que pratiquent les individus; elle ne met pas en danger — ou si rarement — leur niveau de vie tout en alimentant leur bonne conscience. Il en va tout autrement s'il s'agit de s'en prendre à la misère chronique de grandes masses humaines, aussi ne le fait-on qu'avec beaucoup de retenue.

Les crises du futur ont un second caractère, commun à beaucoup d'entre elles, et qui les distingue des crises actuelles. De nos jours, une situation de crise est perçue comme ayant une source à laquelle il suffit de s'en prendre pour la faire disparaître. Les crises apparaissent ainsi, dans les pays développés, comme des phénomènes temporaires. Il en ira tout autrement des crises qui se profilent dans le long terme parce que leur source est pérenne. Elles proviendront de ce que l'on bute désormais sur ce que la Terre est susceptible de fournir ou de subir. L'épuisement des ressources pétrolières, par exemple, créera une situation qui ne peut se comparer à celle qu'a créée le « choc pétrolier » de 1973. Dans un cas, la source est humaine, donc maniable, dans l'autre elle est là pour toujours. Certes, il est possible — il est même probable — que la proximité croissante d'une carence définitive soit précédée de crises temporaires, mais elles s'inscriront dans le contexte d'une montée vers la pénurie définitive. On peut considérer que c'est là l'origine réelle de la guerre d'Irak. Qui peut croire que l'Irak aurait été envahi s'il n'avait possédé aucune ressource pétrolière ou, alternativement, si les réserves mondiales, au lieu d'être ce qu'elles sont, étaient abondantes et largement distribuées à la surface de la Terre? Il ne manque pas, dans le monde, de dictatures à renverser pour des raisons qui seraient purement humanitaires. La guerre d'Irak est une guerre dont la source est une combinaison de préoccupations géopolitiques, l'équilibre du Moyen-Orient, et de crainte de la pénurie.

Comment la société humaine réagira-t-elle à ces crises d'un caractère nouveau? Plus précisément, quel rôle tiendra la solidarité internationale et quelle place tiendra la guerre, « la plus mauvaise solution » comme le dit Jacques Chirac lorsqu'il refusa d'engager la France dans le conflit irakien? Cela nous conduit à nous interroger, pour reprendre un sous-titre du livre de Mary Kaldor, sur la violence organisée dans une ère globale[1].

Les guerres

Le recours à la violence est naturel à l'homme. Nous sommes une espèce agressive, plus proche des chimpanzés que des pacifiques bonobos, et les crises qui affectent la société humaine portent en elles un risque de violence. Cependant, ce ne sont pas les crises du passé et du présent et leur relation potentielle avec la violence guerrière qui nous occupent, mais les crises du futur. Les guerres que pourront déclencher ces crises se placent dans le prolongement des formes que revêt aujourd'hui la violence, une

---

1. Mary Kaldor, *Wars New & Old, Organised Violence in a Global Era*, 2ᵉ éd., California, Stanford University Press, 2007.

description schématique de leurs formes actuelles est donc utile à notre propos.

Il semble bien que le stade des guerres mondiales entre les grands pôles de développement soit aujourd'hui dépassé. En tout cas, on peut l'espérer avec quelque confiance. Plusieurs facteurs concourent à repousser dans le passé ces affrontements globaux. L'arme thermonucléaire contribue plus que toute autre à persuader les protagonistes qu'il n'y a aucun avantage à espérer d'une guerre totale.

Ce sentiment est récent. Lorsque l'Allemagne et le Japon ont engagé la Seconde Guerre mondiale, ils avaient en vue des avantages de toute nature, y compris la domination sur de nouveaux territoires. Pendant la guerre froide, les États-Unis et l'Union soviétique ont reculé devant la perspective, à Cuba, d'un conflit ouvert et cela marquera sans doute, pour les générations futures d'historiens, un tournant dans l'histoire de la guerre.

Un autre élément intervient pour inhiber le déclenchement d'un conflit mondial : l'imbrication des intérêts économiques des grands pôles de développement. Elle rend directement perceptible, par un grand nombre d'acteurs puissants et en particulier par les gouvernements, le fait, avéré depuis bien longtemps, que le bilan économique d'une guerre n'est jamais positif. Mais, dans le passé, certains des protagonistes pouvaient entretenir l'espoir que le bilan serait négatif pour les autres, non pour eux ; qu'ils seraient des « profiteurs de guerre ». Ce facteur de déclenchement d'un conflit global a disparu et la menace d'une guerre mondiale s'est quelque peu dissipée. Cependant, les moyens de l'engager demeurent présents avec les arsenaux démesurés qu'ont accumulés la Russie et les États-Unis. L'équilibre du monde demeure métastable ; l'éventualité d'un déclenchement fortuit ne peut être entièrement écartée. La « prolifération » des armes nucléaires dans des pays qui ne possèdent que des forces conventionnelles mineures reste une source de crainte. La perspective qu'elles soient engagées par un pouvoir politique totalitaire demeure une préoccupation lourde. Mais cette situation n'a pas de relation directe avec le problème des limites planétaires, sauf peut-être par le fait qu'une guerre nucléaire endommagerait gravement l'environnement et altérerait les perspectives futures.

À la guerre globale s'est substituée une multitude de conflits locaux qui revêtent des formes diverses. Pendant la guerre froide, ils ont été encouragés par le bloc soviétique et par le bloc occidental qui ont ainsi choisi de s'affronter par combattants interposés. La disparition ou la forte atténuation de ce mécanisme n'a pas pour autant fait disparaître ce type de conflits. Ils ont des origines diverses : fractures ethniques ou religieuses, contestations de souveraineté sur des territoires frontaliers, déliquescence des structures qui exercent l'autorité légitime et qui cèdent la place à des chefs de guerre. La relative discrétion des médias sur ces conflits régionaux ne doit pas en occulter le coût humain. La guerre qui a ravagé la République démocratique du Congo a fait quelque quatre millions de morts, plus que les pertes de la France et du Royaume-Uni au cours de la Première Guerre mondiale[1].

Une nouvelle forme de guerre est apparue plus récemment où s'impliquent directement, et non plus de manière plus ou moins occulte, des nations développées qui interviennent sur le territoire de puissances militaires mineures[2].

---

1. M. Kaldor, *Wars New & Old, op. cit.*, p. VII.
2. Geneviève Schméder, « La problématique de la guerre revisitée. Science, technologie et *theatrum belli* », *Futuribles*, n° 349, février 2009, pp. 17-29.

Selon les cas, on parle de guerres asymétriques lorsqu'elles engagent des forces armées de puissances très inégales ou d'intervention humanitaire lorsqu'il s'agit de rétablir l'ordre, des conditions de vie acceptables et une autorité légitime dans des zones ravagées par la guerre civile. La guerre du Golfe appartient à la première catégorie, les interventions en Yougoslavie à la seconde. Il peut exister toutes sortes d'intermédiaires selon les motivations ou les moyens mis en jeu.

L'objet de ce tableau sommaire n'est pas d'ajouter aux analyses sur les formes actuelles de la guerre. Il est seulement de fournir le contexte d'une réflexion sur les formes nouvelles de conflit que pourrait engendrer la finitude terrestre.

Selon la nature des tensions qu'elle créera, la finitude planétaire entretiendra avec la violence des relations diverses.

L'altération du climat et celle des océans revêtent un caractère global. On ne peut envisager d'y remédier sans une solidarité elle aussi globale. Les rencontres internationales entre dirigeants politiques et les accords limités auxquels elles aboutissent en sont la première manifestation. À l'endroit de cette solidarité, le degré d'engagement des nations est légitimement variable, fonction des moyens dont elles disposent et — on peut l'espérer — de la contribution qu'elles ont apportée au désastre. Cependant, si la source de la menace est globale, les effets que l'on peut en attendre ne le sont pas. On a vu qu'ils pourraient se traduire, dans certaines régions, par des déficits de pluviosité entraînant une réduction de la production agricole et une raréfaction de l'eau potable qui engendreront, à leur tour, des pressions migratoires intenses. Il semble bien que des effets de cette nature commencent à atteindre le continent australien qui, on le sait, est en majeure partie désertique et nourrit une population cantonnée au voisinage de ses côtes sud et est.

D'autres tensions ont des sources localisées comme les gisements, sujets à épuisement, de matériaux hydrocarbonés et de métaux lourds. Leur distribution à la surface de la Terre, les réserves qu'ils contiennent sont une composante majeure de l'équilibre géopolitique. Les évolutions de leur distribution, soit par épuisement, soit parce que l'altération du climat freinera leur exploitation, sont de nature à perturber cet équilibre. Les tensions correspondantes sont capables d'engendrer toutes sortes de conflits armés. Leur prolifération serait susceptible de bloquer toute évolution régulière de la société mondiale et d'engager une régression vers les affrontements tribaux.

Dans ce contexte, on peut s'interroger sur ce que sera le rôle des forces militaires des grandes puissances dotées d'un arsenal nucléaire. Existe d'abord, héritée d'un passé proche, leur volonté de se tenir mutuellement en respect. C'est le sens du terme « dissuasion », proche de l'imagerie du Far West et du colt à six coups censé assurer la sécurité de son possesseur. Une telle attitude est extrêmement coûteuse. Elle suppose le développement et le déploiement de systèmes d'armes dont on ne peut guère externaliser la production et que l'on ne peut pas commercialiser. Aussi des efforts sont-ils engagés depuis longtemps, entre les ennemis potentiels, pour réduire les arsenaux nucléaires. Dans toute sa pureté, cet affrontement statique n'a concerné que deux pays, les États-Unis et l'Union soviétique, chacun soupçonnant l'autre, dans un passé récent, d'être capable de chercher un avantage définitif dans un déclenchement unilatéral du conflit. Cette suspicion est la source d'un surarmement destiné à convaincre l'ennemi que, quelle que soit la puissance de sa « frappe préventive », il subsistera des moyens suffisants pour le détruire. C'est l'équilibre

hautement métastable de la *Mutually Assured Destruction*.
En dehors du couple États-Unis-Russie, auquel s'est jointe
la Chine, l'accession à la puissance nucléaire de nombre
de pays, parmi lesquels la France, ne relève pas, *a priori*,
d'un dessein d'agression, mais de celui de décourager une
attaque conventionnelle venant en particulier d'une grande
puissance. Avec toutes sortes de nuances, ce schéma s'applique aux capacités nucléaires qui sont apparues, ou qui
sont sur le point d'apparaître malgré le traité de non-proli-
fération, en de nombreux pays. On ne peut exclure qu'un
affrontement local, par exemple entre l'Inde et le Pakistan,
puisse conduire à l'usage de ces armes, ni qu'il puisse dégé-
nérer en un conflit global. Mais je ne m'intéresse pas ici
aux risques que fait peser sur l'avenir de l'humanité l'existence de ces arsenaux, ni aux voies et moyens qui permettraient d'en réduire la puissance et le coût. Ce sont là des
problèmes d'une importance capitale, mais qui n'ont que
peu à voir avec la question des limites planétaires, même si
les essais atmosphériques ont pu contribuer à nous sensibi-
liser au caractère fini de notre habitat.

Le rôle de l'État

Ce qui intéresse plus directement mon propos, c'est le
rôle de l'État dans les problèmes qui affectent globalement
la sécurité de la nation dont il a la charge. Dans l'affrontement de la guerre froide, la limite de l'action de l'État
ne se posait pas du côté soviétique puisque l'étatisation
y était totale. Du côté des États-Unis, elle s'inscrivait dans
le cadre d'une responsabilité régalienne indiscutée : la
sécurité des citoyens américains. Confronté à une menace
globale exercée par un adversaire humain, l'État américain
s'est engagé bien au-delà de ce qu'il avait pu faire dans le

passé. L'énorme budget militaire des États-Unis, 528 milliards de dollars en 2006, est un effet de cette démarche. Naturellement, cette croissance démesurée des dépenses militaires est accentuée par l'influence politique qu'en acquiert une puissante industrie de l'armement. Eisenhower avait, dans son message d'adieu au pouvoir, attiré l'attention de ses compatriotes sur le danger de ce cercle vicieux militaro-industriel, mais il reste que le moteur initial est la menace.

Cela amène à s'interroger sur ce que sera le rôle de l'État lorsque sa population sera confrontée à une menace qui ne sera plus d'origine humaine. Doit-on envisager une extension des interventions de l'État — et l'usage de l'argent public — au-delà de ce qu'a justifié l'existence d'une puissance hostile et qui est traditionnellement incarné par l'ordre militaire? C'est une réflexion qu'il conviendra d'approfondir pour dessiner les lignes directrices de l'action.

Si l'on veut bien considérer — vision optimiste — que le temps est passé des grands affrontements et que l'encombrant héritage qu'ils nous ont laissé est promis à se réduire progressivement, quel rôle reste-t-il aux forces armées? Il leur incombe une lourde mission d'intervention dans les conflits qui surgissent çà et là pour des causes diverses. Ces conflits ont en commun le rejet ou la disparition de l'autorité politique légitime, la déliquescence de l'État. Dans cette nouvelle forme de conflit, remporter la victoire sur une force adverse ne signifie plus gagner la guerre. Sous le terme de « sécurité humaine », les interventions de cette nature ont fait l'objet d'une réflexion approfondie dans un groupe européen constitué sous l'autorité du haut représentant de l'Union européenne, Javier Solana[1]. Les conclu-

---

1. *A Human Security Doctrine for Europe*, rapport présenté à Javier Solana le 15 septembre 2004 à Barcelone; *A European Way of Security : The Madrid*

sions de ce groupe se situent dans la droite ligne de la démarche que suivit le général Gerald Templer afin de pacifier la Malaisie et qu'il a résumée dans une formule célèbre : « *The answer lies not in pouring more troops in the jungle but in the hearts and minds of the people*[1]. » Sans entrer dans une analyse détaillée du concept de sécurité humaine, on peut dire qu'il repose sur le principe que « toute intervention extérieure doit tendre à créer une autorité légitime assurée le plus tôt possible par une autorité locale à l'intérieur du pays[2] ». Le général Reinhardt, auquel j'emprunte ce propos, et qui commanda les forces d'intervention au Kosovo (KAFOR), l'assortit des considérations suivantes : « Un mandat politique clair doit à la fois fournir une description précise de la mission et préciser l'ampleur des opérations de maintien de la paix. [...] En règle générale, les missions de sécurité humaine devraient être dirigées par un civil [...]. Le mandat devrait par ailleurs toujours inclure une première mouture de stratégie de sortie. » On est là, on le voit, très loin de la pratique qu'illustre l'intervention en Irak, fondée sur l'idée que la victoire militaire réglerait tous les problèmes et que les troupes d'occupation seraient accueillies en libératrices.

Pourquoi nous intéresser à cette doctrine de l'intervention militaro-humanitaire ? C'est que, à la différence de l'affrontement global, ou de l'usage des armes nucléaires, le besoin d'interventions de ce type a toute chance de croître au-delà du niveau actuel. Les tensions locales liées aux contraintes planétaires, peu prévisibles dans leur

---

Report of the Human Security Study Group, présenté à Madrid le 8 novembre 2007.

1. « La réponse réside non pas dans l'envoi de davantage de troupes dans la jungle mais dans les cœurs et les esprits du peuple. »

2. Klaus Reinhardt, « Pour une force de sécurité humaine. Une autre méthode de maintien de la paix », *Futuribles*, n° 349, février 2009, pp. 5-15.

nature et dans leur localisation, se chargeront d'y pourvoir. Une nouvelle conception de l'usage de la force est donc indispensable.

Le rôle d'intervention, voire d'ingérence, que se donnent, ou se font donner par l'ONU, les nations les plus développées qui sont aussi les plus armées, ce rôle de « gendarme du globe », ne manque pas de soulever des questions d'ordre éthique que je n'ai pas l'intention d'approfondir ici. Il me semble clair que les tensions et les pénuries liées à l'épuisement des ressources de toute nature de la planète engendreront deux phénomènes opposés, la montée d'une solidarité globale et la multiplication de violences et de désordres locaux.

La solidarité globale n'a pas encore atteint le niveau créé, dans le passé, par un ennemi humain, entre de larges groupes de nations alliées. On en voit cependant des ébauches centrées sur la plus visible des menaces, l'altération du climat. Cette menace, par son caractère intrinsèquement indivisible, est aussi celle qui fournit le meilleur champ à l'expérience de cette solidarité. C'est pourquoi les conférences qui rassemblent les chefs d'État, comme celle de Copenhague, sont des événements importants, si médiocre que puisse être leur bilan.

Mais en regard de cette démarche globale existe un besoin de maintien de l'ordre au niveau mondial, tout comme il existe au niveau national, et ce besoin exige à l'occasion l'usage de la force. Les doctrines concernant le droit d'intervention, les modalités et la mesure qui s'imposent à l'usage de la force touchent à une forme de solidarité qui est aussi importante que la solidarité face aux limites de l'environnement terrestre. L'une et l'autre sont entravées par les divergences d'intérêts entre nations, et empoisonnées par les rivalités nationales. L'idée qu'un pays, si puissant soit-il, puisse exercer une mission de gendarme du monde dans un monde divisé en nations est évidemment aberrante. Elle a démontré son impuissance dans les faits et elle exclut une montée de la solidarité mondiale. Mais nous n'en sommes qu'au début d'une évolution qui, partant des guerres quasi tribales du Moyen Âge, puis des guerres coloniales d'asservissement, ensuite des affrontements mondiaux, marque peut-être l'émergence progressive de la conception et de l'acceptation, non d'une armée, mais d'une police mondiale. Croire que ce cheminement aboutira est affaire d'optimisme ou de pessimisme.

Ce qui me semble avéré, c'est que les formes de la violence guerrière s'adaptent au système technique dont elles disposent et à la forme des sociétés dans lesquelles elles s'exercent. Elles vont donc s'ajuster au contexte mondial imposé par la contrainte planétaire. Mais on ne saurait être assuré de la forme à laquelle conduira cette adaptation. Ce que j'en ai sommairement évoqué me semble relever de l'hypothèse la plus optimiste.

10

Les racines du futur

Je laisse aux nombreux avenirs (pas à tous) mon jardin aux sentiers qui bifurquent.

JORGE LUIS BORGES, *Fictions.*

Dans le domaine qui nous occupe, la réflexion doit engendrer l'action. Il ne s'agit pas ici d'entrer dans le détail des tâches qu'appelle la situation actuelle, mais seulement d'évoquer les grandes lignes d'action qui pourraient conduire la société humaine vers un état stable et désirable. À horizon millénaire, on ne peut pas savoir ce que sera cet état, mais on peut savoir ce qu'il ne sera pas. Et, de ce fait, on peut discerner parmi les tendances actuelles celles qui seraient de nature à en interdire l'approche. Ce sont toutes celles qui tendent à violer les contraintes de la finitude. Il faut donc exclure la croissance des besoins matériels et, par voie de conséquence, la croissance de la population globale. À ces contraintes propres à la Terre s'ajoutent celles des lois qui gouvernent l'Univers et auxquelles la technique doit se plier. Elles interdisent de se réfugier dans de vagues rêveries pour inventer des futurs qui ne sont pas possibles.

Les problèmes qu'il faudra résoudre pour atteindre une société pérenne se dévoilent peu à peu dans le présent. Il y a donc beaucoup à apprendre de la façon dont la société actuelle les aborde. Il s'agit par exemple du problème du climat et surtout des pénuries qui commencent à manifester leurs effets, soit qu'on les observe, comme les pénuries d'eau et de nourriture, soit qu'on les prévoie, comme l'épuisement de la ressource pétrolière.

Les démarches le plus communément adoptées pour remédier aux carences que l'on constate ou que l'on anticipe ont deux traits communs. D'une part, elles soignent les symptômes plutôt que le mal sous-jacent, d'autre part elles tendent à traiter les problèmes au fur et à mesure qu'ils émergent et sans beaucoup s'inquiéter des effets négatifs que les remèdes appliqués pourraient avoir sur d'autres domaines, c'est-à-dire en ignorant qu'elles agissent sur un système. On voit ainsi les pétroliers, pourtant parfaitement conscients que leur temps est compté, le dénier et s'employer à entraver la construction d'un accord sur le climat. Ce n'est pas qu'ils attribuent au pétrole un avenir illimité, mais ils s'accommoderaient d'un répit que les climatologues leur contestent.

À cela s'ajoute la tendance à prolonger indéfiniment le fonctionnement d'un système économique et d'une gouvernance qui sont hérités du passé mais inadaptés à l'avenir. Cette forme de conservatisme, si profonde qu'elle s'exerce inconsciemment, est de tous les temps. À considérer les époques antérieures, le capitalisme libéral dans sa forme actuelle n'apparaît pas comme un aboutissement mais comme une étape, éminemment propre à assurer la croissance de la production, et adaptée à la disponibilité de ressources illimitées. Le concevoir comme le stade ultime d'une évolution est plus qu'un acte de foi : c'est un aveuglement volontaire ou involontaire. Il en va de même de la démocratie libérale qui, avec ses vertus, offre l'image d'une société désirable, mais correspond, elle aussi, à un monde dont certaines contraintes sont absentes. Il a fallu bien longtemps, dans un pays comme la France, pour que, à partir de la transformation de la société et du contexte technico-économique, à partir du développement des échanges intellectuels, se répande l'idée que la monarchie avait fait son temps et qu'émerge l'idée de république dont pourtant l'Antiquité grecque et romaine avait inventé les premiers modèles. On peut espérer que la transformation de la société pour s'adapter à une contrainte nouvelle sera plus rapide qu'elle ne le fut dans le passé. Mais nier la montée de cette contrainte et en différer à l'excès la prise en compte conduira inévitablement à une transition révolutionnaire dont on peut voir comment la société humaine y entrera mais dont nul ne sait dans quel état elle en sortira.

C'est pourquoi les lignes d'action qu'il faut envisager pour amener progressivement le monde vers une société pérenne doivent concerner conjointement les aspects matériels et les aspects sociétaux des problèmes de finitude.

Le traitement symptomatique du mal conduit, à partir de l'état actuel des choses, à inventer des scénarios du futur susceptibles de l'améliorer. Il ne se donne pas, en général, d'objectif sociétal global à horizon lointain ; il va du présent vers le futur. Je propose une démarche inverse pour traiter du problème des finitudes dans sa généralité. Cette démarche consiste à partir de l'objectif d'une société future et à régresser vers le présent pour identifier les voies d'accès à des solutions pérennes.

La société future ne sera pas autorisée à violer les contraintes que lui impose un environnement borné. Cette discipline globale peut se décliner selon un nombre limité de catégories interdépendantes dont nous allons chercher à discerner les liens avec le long terme. Nous pourrons alors examiner dans quelle mesure les actions entreprises, ici et là, peuvent s'articuler avec une vision de l'avenir lointain.

Partant du présent, les « sentiers de l'avenir » de la prospective progressent et bifurquent vers un futur incertain ; les voies de l'action que nous cherchons à entrevoir viennent vers nous des contraintes connues de cet avenir. Elles sont les racines du futur.

Il ne s'agit donc aucunement de différer l'action mais d'examiner la pertinence de ses formes actuelles. Cela ne signifie pas non plus qu'il faille condamner des formes d'action à court terme qui traitent certains problèmes du présent — sortir de la crise de 2007, par exemple —, mais il faut les inscrire dans un horizon temporel pertinent et distinguer leurs objectifs à court terme de leur signification à long terme, si elle existe. Certains de nos problèmes actuels requièrent une attention particulière parce que, selon la façon dont on les aborde, on peut préparer ou obérer le futur. Au premier rang se place le problème de l'approvisionnement énergétique dans ses relations avec l'action des États.

Les États et le problème de l'énergie

À ne considérer que ses aspects techniques, l'avenir énergétique de la société humaine est sombre. Il s'agit pour elle de se dégager de sa dépendance dramatique à l'endroit des combustibles fossiles qui, aujourd'hui, fournissent 80 % de la ressource. Répétons-le encore, la relation aux énergies fossiles peut se caractériser par deux éléments. D'une part, dans l'immédiat, leur consommation impose que les problèmes techniques et économiques de la capture du CO_2 soient résolus sous des formes qui permettent un déploiement à l'échelle mondiale. D'autre part, les stocks d'énergie fossile ne fournissent pas de solution à horizon millénaire, sauf dans l'hypothèse où leur consommation serait réduite d'un ordre de grandeur.

Il existe donc deux raisons impérieuses de se dégager de la dépendance à l'énergie fossile, l'une à effet immédiat parce qu'elle altère le climat, l'autre parce qu'à long terme elle conduit à une impasse.

De quels moyens dispose-t-on pour se dégager de cette dépendance? Nous avons vu qu'il n'en existe que deux, les énergies renouvelables qui, sous leurs aspects divers, proviennent de l'énergie solaire, et l'énergie nucléaire.

La menace climatique et les risques, réels ou supposés, qui s'attachent aux modes d'utilisation actuels du nucléaire ont suscité de vives réactions idéologiques que traduisent des slogans. Il est important de bien discerner la dure réalité que ces slogans tendent à occulter.

Le recours exclusif aux énergies renouvelables repose sur l'hypothèse que la demande énergétique ira décroissant à partir de son niveau actuel. Ce n'est pas ce que l'on observe aujourd'hui où elle augmente d'environ 2 % par an. Les sources de cette augmentation sont diverses, mais l'accès au développement de pays à forte population, comme la Chine et l'Inde, y joue un rôle important. La croissance démographique globale et la réduction de l'inégalité entre l'univers occidental et de vastes régions d'Asie sont les moteurs d'une croissance continue. Or il s'agit, non pas de maintenir un niveau stable de la consommation énergétique, mais bien d'en inverser l'évolution.

Nous nous engageons donc dès aujourd'hui dans une époque de pénurie énergétique dont il importe de savoir si elle sera une composante permanente du long terme ou s'il sera possible de s'en dégager. La conception des efforts nécessaires pour remédier à cette pénurie relève de deux échéances distinctes.

La première s'étend du présent jusqu'à un horizon incertain parce que nous ne savons pas avec précision quel répit nous accordera la menace climatique. Les prévisions fournies par le GIEC donnent les valeurs du sursis, inférieur au siècle, dont nous disposons avant que le réchauffement ne crée des effets économiques graves ou des effets insupportables pour les populations. En outre, l'échéance climatique est affectée par le rythme des rejets de CO_2 et, par conséquent, en l'état actuel de la technique, par l'évolution de la production énergétique et par le choix des sources de cette production. Les facteurs d'incertitude sont donc multiples.

À échéance plus éloignée, mais moins lointaine cependant que l'horizon millénaire, l'épuisement des réserves de combustibles fossiles dégagera de toute façon l'humanité de sa dépendance à leur endroit.

Ces données élémentaires nous confrontent, dans toute vision du long terme, à une alternative. En sera-t-on réduit à la seule énergie solaire ou disposera-t-on d'une autre forme d'énergie inépuisable ? En d'autres termes, une société pérenne évoluera-t-elle dans le cadre d'une pénurie énergétique définitive ou trouvera-t-elle une issue ?

En regard de ces perspectives déjà évoquées, il me semble essentiel d'examiner ce que peuvent être le rôle de la puissance publique et celui du marché.

Les outils dont on dispose pour affronter le court et le moyen terme sont largement accessibles aux forces du marché, qu'il s'agisse de l'énergie solaire, sous ses diverses formes, de la capture du CO_2 ou de l'énergie nucléaire dans ses formes actuelles. Aucune de ces techniques ne requiert un progrès des connaissances fondamentales et les délais de développement sont tels que la notion de retour sur investissement conserve une signification. L'État n'a donc pas à sortir de sa relation ordinaire avec le marché. Il peut se borner à des mesures d'incitation, voire à de discrètes subventions, pour accélérer les mécanismes industriels. Il en ira tout autrement des actions nécessaires pour développer des sources d'énergie pérennes.

Il n'existe à cet égard que deux voies concevables : les surgénérateurs et la fusion nucléaire. Ni l'une ni l'autre ne peuvent être développées sans un engagement massif des États.

Les problèmes que posent ces deux voies sont de nature très différente. La surgénération qui permet d'étendre à plusieurs siècles l'utilisation des matériaux fissiles ne pose que des problèmes technologiques ; sa faisabilité est assurée. Les développements techniques sont à la mesure des moyens d'un État comme la France. Au contraire, la faisabilité technique de la fusion nucléaire est encore incertaine. Elle est une voie d'accès à une solution authentiquement pérenne du problème énergétique parce qu'elle se fonde sur des réserves inépuisables. Après des efforts qui durent depuis plus d'un demi-siècle, on en est arrivé au point où est engagée, sur des fonds publics, la construction d'une machine, ITER, dont on espère qu'elle sera la première à atteindre un bilan d'énergie positif, c'est-à-dire à produire plus de kilowatts qu'elle n'en consomme[1]. On ne peut encore être assuré de la faisabilité technique du procédé, et encore moins de son industrialisation, mais l'enjeu de sa maîtrise est énorme.

Dans le cas de la surgénération comme dans celui de la fusion, l'issue dépend de la disponibilité de financements publics.

---

1. B. Bigot et Cl. Haigneré, « Le programme ITER, une coopération intergouvernementale européenne réussie dans le domaine scientifique et technique », art. cité.

Des questions s'imposent alors devant l'énorme enjeu à long terme de la maîtrise de la fusion : pourquoi en fait-on aussi peu ? Est-ce aux États de le faire en y consacrant des financements publics ?

L'orthodoxie libérale réserve l'usage des fonds publics à un certain nombre de domaines bien délimités : l'éducation, la recherche scientifique, les dépenses nécessaires à la sécurité des citoyens et la santé. Encore, sur ce dernier point en particulier, existe-t-il de profondes disparités entre les États européens et les États-Unis, comme en a témoigné le débat sur la protection de la santé conduit par l'administration Obama. De façon générale, l'Europe est, à l'endroit de l'orthodoxie libérale, plus pragmatique que ne le sont, en apparence du moins, les États-Unis. Le développement de techniques nouvelles demeure encadré par une conception limitative du rôle de l'État. Le programme spatial américain en offre une parfaite illustration. La NASA opère exclusivement sous prétexte de recherche scientifique, ce qui l'a amenée à peindre aux couleurs de la science les vols spatiaux habités qui, pourtant, n'ont avec elle que des rapports lointains. Ce travestissement a tout de même permis d'investir plus de cent milliards de dollars d'argent public dans la Station spatiale internationale. Lorsque, il y a quelques décennies, il est apparu que les satellites de télécommunications avaient un avenir commercial, la NASA s'est vue interdire ce secteur. Enfin, il existe un très important programme spatial militaire, entièrement distinct du programme civil, et qui relève du rôle de défense attribué à l'État fédéral.

En Europe, les distinctions sont moins marquées, mais elles existent, et la Commission européenne s'est faite la gardienne du dogme de la concurrence avec un zèle de néophyte. Naturellement, ces considérations ne s'appliquent guère aux grands pays en développement : la Chine et l'Inde.

Dans ce contexte, le développement de la fusion nucléaire crée un problème nouveau pour deux raisons : d'une part, il engage l'action de l'État dans un domaine qui ne relève pas de ses attributions traditionnelles ; d'autre part, la dimension des efforts requis les inscrit normalement dans une coopération internationale.

Le projet ITER s'est adapté à ce contexte en revêtant les habits de la recherche scientifique qui, financièrement parlant, sont un peu étroits pour lui. On peut cependant s'interroger sur l'intérêt proprement scientifique de ce projet du point de vue des connaissances fondamentales. La stabilité du confinement magnétique des plasmas ne serait certainement pas une priorité scientifique si sa maîtrise ne débouchait pas sur la création d'une source d'énergie et sur des intérêts économiques et industriels considérables.

La véritable nature d'ITER est celle d'un engagement de la puissance publique dans le développement d'une nouvelle source d'énergie, avec des perspectives trop lointaines et incertaines pour que les financements privés puissent s'y investir. Le succès d'ITER créera la nécessité d'introduire directement la puissance publique dans des activités qui ne concernent plus le domaine scientifique ni le domaine militaire. Il sera d'ailleurs nécessaire de le faire dans le cadre d'une coopération internationale.

L'effort engagé dans ITER peut sembler important, une dizaine de milliards d'euros sur cinq années, et le coût final sera certainement supérieur. À l'échelle des moyens dont disposent les États, en comparaison des moyens investis dans les programmes militaires — plus de cinq cents milliards de dollars par an aux États-Unis —, il est minuscule. Il témoigne surtout de la difficulté des États à s'investir dans un domaine nouveau. Ce que l'on observe dans un domaine voisin le montre clairement.

Il existe en effet, comme nous l'avons relevé, une autre filière technique qui pourrait conduire à la production d'énergie de fusion, c'est le confinement, par de puissants faisceaux laser convergents, d'un pastille minuscule de matériau fusible[1]. Cette filière est dans un état d'avancement moindre que le confinement magnétique, mais elle est activement explorée en France et aux États-Unis. Les lasers de puissance constituent la partie la plus coûteuse des outils nécessaires à son développement, mais il se trouve que cet outil est aussi indispensable au perfectionnement des armes thermonucléaires depuis que leurs essais souterrains sont bannis. Il a donc été facile et « normal » de le financer par les fonds publics couvrant les dépenses militaires et de l'utiliser accessoirement à l'exploration d'une nouvelle source d'énergie civile.

L'hésitation des États à s'engager provient sans doute aussi de la faible perception qu'ils ont de la menace énergétique ou du fait que cette menace leur semble éloignée. Dans l'histoire récente, deux menaces plus directement perceptibles ont provoqué des mobilisations de la puissance publique qui se sont traduites par les projets Manhattan et Apollo. Dans le cas du projet Manhattan, qui a conduit à développer les premières « bombes atomiques », la menace était clairement identifiée, celle de voir l'Allemagne nazie se doter la première de l'arme nucléaire. Le projet Apollo, qui s'inscrit dans le contexte de la guerre froide, relève d'une logique plus complexe. Il s'agissait pour le président Kennedy d'affirmer symboliquement la supériorité de l'Amérique et de son système économique,

---

1. Daniel Clery, « Test Shows Laser-Fusion Experiment is on Target », *Science*, vol. 327, janvier 2010.

dans un domaine où l'Union soviétique avait pris le *leadership* mondial. Ce que l'on sait des conversations entre le président Kennedy et son conseiller scientifique, Jerome Wiesner, montre clairement que la conquête de la Lune n'était qu'un prétexte. Aux objections de Jerome Wiesner sur le peu d'intérêt scientifique d'Apollo, Kennedy aurait répondu en substance : « C'est votre faute. Si les scientifiques avaient su proposer un projet plus visible, par exemple dessaler les océans, nous l'aurions fait. »

Dans un cas comme dans l'autre, il s'agissait d'affronter un adversaire humain. Ces exemples posent une question fondamentale : verra-t-on la menace planétaire susciter des mobilisations de même nature ? C'est souhaitable mais nullement établi. Cependant, alors qu'ils sont confrontés à une menace qui ne relève plus de la force militaire, il serait logique que l'engagement des États s'étende à un domaine nouveau. C'est là une des voies de l'action.

Il n'en résulte aucunement que le domaine des activités étatisées, c'est-à-dire conduites par des salariés de l'État, doive s'élargir. Cela ne signifie pas non plus que les effets de la concurrence seraient affaiblis dans ce nouveau domaine. Mais cela signifie un usage élargi du financement public, et par conséquent que l'État — ou des États associés — exerce une responsabilité stratégique dans les domaines où le marché est inopérant. Cette responsabilité ne peut être pleinement exercée par l'industrie, même si l'expertise industrielle doit contribuer à sa formulation. Le fonctionnement d'une industrie est dominé par une priorité, le profit, sinon à échéance immédiate, du moins à horizon rapproché. Cette priorité n'est pas compatible avec les choix stratégiques à long terme. Certes, toutes les grandes industries sont assoiffées de financements publics, et elles ne se privent pas d'exercer leur influence sur l'État pour en obtenir. Mais le choix des projets qui ont leur préférence, qu'elles cherchent à promouvoir, est déterminé par leur domaine d'expertise et par des intérêts à court terme. A-t-on jamais vu une grande firme industrielle agir en faveur d'un projet public auquel elle ne serait pas en mesure de contribuer?

On ne peut exclure que les États soient susceptibles de commettre des erreurs stratégiques, mais on peut espérer que leur engagement ne soit pas exclusivement motivé par des intérêts à court terme. Cela suppose une certaine distanciation des intérêts de l'État par rapport à ceux dont l'industrie est porteuse, et une certaine évolution de relations au sein du triangle que forment l'État, la puissance industrielle et l'opinion publique, si facilement leurrée. Il existe un premier modèle de cette évolution dans un secteur où l'action de l'État est communément admise, celui de la recherche scientifique pure, avec l'apparition des très grands instruments nécessaires à ce que l'on appelle la *big science*. La recherche sur les particules élémentaires avec les grands accélérateurs du CERN et la recherche astronomique avec les très grands télescopes de l'ESO en sont des exemples concrets. Dans un cas comme dans l'autre, les décisions stratégiques sont prises, sous l'égide des États, par les communautés scientifiques concernées, le financement est public, la réalisation est industrielle. Un certain degré de compétition entre nations subsiste, entre l'Europe et les États-Unis, mais, aucun avantage économique n'étant dominant ou simplement recherché, la solidarité l'emporte le plus souvent sur les rivalités nationales.

Transposer ce modèle à un nouveau domaine d'où les intérêts à court terme sont absents, mais les intérêts à long terme immenses, est une des voies dans lesquelles devrait s'exercer l'action politique. Le domaine de l'énergie lui offre un sujet exemplaire avec l'enjeu qui s'attache au développement d'une source pérenne et avec le modeste début que représente ITER.

Lorsqu'une large fraction de l'humanité était en lutte contre une autre, les projets comme Manhattan et Apollo s'inscrivaient dans une logique de guerre où la victoire, quelque forme qu'elle puisse revêtir, capitulation de l'Allemagne et du Japon ou effondrement de l'Union soviétique, tendait à prévaloir sur toute autre priorité. Ce sont les notions mêmes de victoire et de mobilisation pour obtenir cette victoire qui ont été jusqu'ici capables de transformer, dans un contexte de guerre, le comportement de la puissance publique et les réactions de l'opinion publique, de rendre ainsi acceptable la notion plus générale d'économie de guerre.

Est-il concevable que les menaces planétaires produisent, à l'échelle de la totalité de l'humanité, les mêmes comportements qu'ont suscités les guerres mondiales ou la guerre froide ? Au sein d'une grande alliance, comme celle de la Seconde Guerre mondiale, la solidarité, dynamisée par la communauté d'intérêts, a tendance, au moins pour un temps, à prévaloir sur les comportements égoïstes des États. Il n'en a pas fallu moins pour que l'Angleterre de Churchill vole au secours de la Russie de Staline. Un phénomène de même nature peut-il se produire, sur l'ensemble de l'humanité, en réponse aux menaces planétaires, au premier rang desquelles la pénurie d'énergie indissociable de la menace climatique ? On peut entretenir des doutes à cet égard. Ce qui est en question, c'est l'équilibre entre les avantages de la solidarité et ceux des égoïsmes nationaux. Il ne me semble pas acquis que les comportements déclenchés par un conflit humain puissent aussi surgir de la confrontation avec le partenaire planétaire. Deux facteurs, au moins, créent une différence de nature. En premier lieu, les notions de victoire, et même de fin de la guerre, ne trouvent pas d'homologues. Elles sont indissolublement liées au caractère temporaire des affrontements humains. En second lieu, la notion d'alliance ne se transpose pas aisément. Les seuls cas où la nature du phénomène tend à créer une solidarité mondiale sont ceux où intervient une altération globale de l'atmosphère ou des océans qui impose une indivisibilité. Dans de nombreux cas, la source du problème fût-elle globale, ses effets — épuisement d'un gisement ou carence en eau douce — sont locaux, même s'ils peuvent se répercuter sur l'ensemble du monde.

Les inégalités dans la distribution du patrimoine naturel, et les pénuries qui s'y attachent, sont de nature à exacerber, entre États-nations, des tensions qui relèvent de la géopolitique classique. Dans le même temps, les atteintes aux éléments globaux et indivisibles du patrimoine terrestre imposent une évolution vers la solidarité internationale. C'est une interrogation fondamentale sur l'avenir de l'humanité que de savoir laquelle de ces deux tendances va l'emporter, la tendance atavique au repliement sur les intérêts du groupe — de l'État-nation — ou la solidarité globale engendrée par la menace extérieure. La menace climatique permet d'observer concrètement et dès aujourd'hui l'affrontement de ces deux tendances.

La gouvernance mondiale et le climat

L'échec exemplaire de la conférence de Copenhague, en 2009, offre une occasion de s'interroger sur la capacité de la société à réagir à une menace globale. Cet échec met en évidence la prévalence des intérêts nationaux tels qu'ils sont perçus, sinon compris, sur l'intérêt général. Nombre de facteurs ont convergé pour créer cette situation. En premier lieu, le fait que la menace climatique ne se traduit pas encore par des effets perceptibles chez le plus grand nombre. Elle produit un certain remuement de l'opinion publique et des groupes de pression ont commencé à se constituer. En témoignent, dans des directions opposées, la présence continue de manifestations autour du lieu de la conférence et le lobbyisme négationniste. Mais les effets perceptibles de l'altération climatique sont encore confinés aux régions de haute latitude. Ils n'ont pas lourdement atteint les régions à forte densité de population. Aussi cède-t-on souvent à la tentation d'attribuer au réchauffement des événements spectaculaires comme les cyclones dont la fréquence et l'intensité seraient accrues. Le film réalisé par Al Gore tombe dans ce travers, alors qu'aucune base scientifique, théorique ou observationnelle ne vient pour l'instant confirmer cette assertion.

La montée du niveau des océans, dont le rythme est actuellement de 3,5 mm par an, constitue une terrible menace pour certaines mégapoles, mais elle est encore trop lente et ses effets cumulés trop peu perceptibles pour susciter une crainte collective.

À tout cela s'ajoute le rôle des « écosceptiques », qu'ils soient stipendiés ou non, qu'ils soient même des scientifiques à la recherche d'une notoriété douteuse. Au total, l'opinion publique dans ses profondeurs n'est pas encore mobilisée par cette menace qu'elle perçoit comme lointaine et incertaine.

Un double débat éthique vient se superposer à ce contexte. À la question de l'importance accordée au bien-être des générations futures par la génération actuelle s'ajoute celle des responsabilités nationales dans cette situation, les uns prétendant que c'est à ceux dont les actions passées ont créé l'impasse climatique de faire le nécessaire pour en sortir, les autres qu'il faut, sans plus se préoccuper du passé, partir de l'état présent des choses pour concevoir une démarche. Tout cela est la source d'une fragmentation géopolitique du débat où se sont enlisés les chefs d'État qui se sont rencontrés à Copenhague. Et, dans le même temps, les émissions de gaz à effet de serre continuent imperturbablement à croître.

Je n'insisterai pas sur le fait que cette conférence, annoncée à grand bruit, a été mal préparée. Comment croire que, sur un sujet aussi complexe, aussi porteur de conséquences économiques lourdes, et encore affecté de tant d'incertitudes, le nœud gordien des intérêts conflictuels allait se défaire en quelques jours alors que le sentiment de l'urgence était encore faiblement perçu et que l'irréversibilité des altérations déjà enregistrées l'était encore moins? Il y fallait quelque naïveté. Aussi n'est-on parvenu qu'à produire un document qui est une honte pour ceux qui l'ont signé, parce qu'il traduit, d'une part, leur incapacité à formuler un engagement qui possède une signification réelle, d'autre part leur crainte de voir un échec patent altérer leur image politique. Ils ont ainsi allié l'incapacité à l'absence de courage. Ils se sont engagés à limiter à 2 °C l'accroissement de la température moyenne de la Terre sans dire par quels moyens on y parviendrait. Il n'est pas sûr que la Terre soit disposée à respecter cet engagement, car on peut s'engager au nom de l'État, mais, si puissant que l'on soit parmi les hommes, on ne peut le faire au nom de la planète. Il aurait pourtant été facile de se donner avec le taux du CO_2 atmosphérique un objectif aisément vérifiable.

Mais ce qui est le plus déplorable, dans cette conférence de Copenhague, ce n'est pas l'absence, qui était prévisible, d'engagements concrets, c'est le fait que l'on n'ait pas tiré les leçons de l'échec en se donnant les moyens de progresser, fût-ce lentement, et que l'on n'ait pas créé d'instrument pour travailler à ce progrès. En d'autres termes, non seulement cette grand-messe n'a pas produit de décision, mais elle n'a pas fourni d'outils pour préparer les décisions futures.

Dans tous les grands problèmes qui impliquent l'humanité, le désarmement nucléaire, l'organisation du commerce international et bien d'autres de moindre importance, les progrès de la concertation internationale, c'est-à-dire, en définitive, ceux de la gouvernance mondiale, reposent sur des organisations internationales, gardiennes des traités, qui constituent le centre permanent des négociations indispensables. Car de tels progrès, qui exigent une transformation des mentalités, sont nécessairement lents. Il a fallu plus d'un demi-siècle pour que les cartes à grande échelle, dites d'« état-major », perdent leur statut de secret militaire et deviennent un outil commun aux Européens. Les attitudes changent parce que des hommes disparaissent et que d'autres sont nés. Mais il appartient aux hommes politiques qui ambitionnent de laisser leur trace dans l'histoire d'être les instigateurs de ces changements. C'est ce que n'ont pas su faire les membres de l'assemblée de Copenhague.

Dans le chapitre de son livre sur la menace climatique où il esquisse des lignes d'action, Nicholas Stern se réfère à Bretton Woods, où furent conçus en 1946, par Maynard Keynes et Henry Dexter White, trois des fondements de l'organisation mondiale : le FMI, la Banque mondiale et l'OMC. Il pense que ces mêmes personnes, confrontées à la situation actuelle, pourraient créer une institution combinant la Banque mondiale et le FMI, une deuxième qui serait l'OMC et (surtout) une troisième, l'« Organisation mondiale de l'environnement[1] ». Il s'interroge sur le point de savoir si « la tâche de progresser vers un accord

---

1. N. Stern, *The Global Deal, op. cit.*, p. 200.

sur le changement climatique, et dans le contexte d'autres défis environnementaux auxquels est confronté le monde, demande une nouvelle organisation ». L'échec de Copenhague est une réponse à cette interrogation, et cet échec est un présage sinistre pour l'avenir, si aucun changement de méthode n'intervient.

La société est confrontée à un problème pérenne et de nature globale. Elle ne peut le prendre en compte qu'en se dotant d'une structure permanente qui l'embrasse dans sa totalité. Cela signifie non seulement la menace climatique, mais aussi la montée des pénuries et les altérations de toutes sortes qui seront le lot de notre relation à la biosphère dans les siècles qui viennent. À défaut, on en restera au stade des « processions aéroportées » que Pierre Morel compare, non sans quelque irrévérence, aux « processions avec la croix et la bannière » que l'on organisait jadis pour implorer le ciel de faire tomber la pluie[1].

La création d'une Organisation mondiale de l'environnement est une tâche complexe, qui ne peut guère s'accomplir autrement que sous la pression des événements et sous la menace de la crise. Mais, précisément, nous y sommes. Première interrogation : le délai nécessaire pour faire bouger les choses sera-t-il compatible avec ceux que la Terre nous accorde ? L'humanité sera-t-elle prête à temps pour s'y conformer ? Le temps nécessaire pour construire cette structure nouvelle est gouverné par diverses difficultés autres que la carence de volonté ou de lucidité politique. La première est que le champ n'est pas libre. Une nouvelle organisation devra nécessairement s'intégrer dans le réseau des organisations internationales existantes : l'Organisation météorologique mondiale et le GIEC, le Pro-

---

1. Pierre Morel, Canal Académie, Paris, *Lettre d'information*, n° 133, décembre 2009 (http://www.canalacademie.com).

gramme des Nations unies pour l'environnement (PNUE), la Commission océanographique mondiale, etc. Devrat-elle être placée sous l'égide de l'ONU ou être seulement liée à elle par des accords, comme c'est le cas de l'OMC? Tout cela est complexe et comporte maintes difficultés si l'on veut éviter les conflits de responsabilité ou les redondances, mais aucune de ces difficultés n'est insoluble.

La question des fonctions et surtout des pouvoirs que pourrait exercer une telle organisation est beaucoup plus ardue. Qu'elle soit un lieu de concertation permanente des États, un forum des ministres et des chefs d'État, et qu'elle serve de cadre à la préparation d'accords internationaux, telles seraient ses premières fonctions. Le domaine couvert par cette concertation ne peut être strictement limité au climat; il devrait être étendu à toutes les altérations de la biosphère. Reste enfin la question fondamentale, celle des pouvoirs normatifs que s'imposeraient les États membres et des moyens d'en assurer le respect. Il existe, à cet égard, différentes pratiques. Celles de l'OMC consistent, par exemple, à garantir les accords intervenus entre ses États membres par des sanctions qui suspendent, pour les contrevenants, certaines des protections que leur offrent ces accords. Il n'existe guère qu'un seul domaine où une organisation internationale, le conseil de sécurité de l'ONU, exerce, en principe du moins et dans certaines limites, le pouvoir d'autoriser ou d'interdire, c'est celui de la guerre. Pourquoi cette exception? Peut-être afin de répondre à la sinistre prédiction du président Kennedy : « Si l'humanité ne vient pas à bout de la guerre, la guerre viendra à bout de l'humanité. » Encore voit-on des États, forts de leur puissance ou aveuglés par leur insularité, s'affranchir des obligations que leur impose le traité.

C'est une menace de même ampleur, mais d'origine différente, que fait peser la détérioration de la biosphère. Il est donc légitime de s'interroger sur la capacité de cette menace à provoquer une évolution des relations entre États de même nature que celle qu'a produite la guerre. Si l'on cherche à caractériser aussi synthétiquement que possible la nature de cette évolution, on peut dire qu'elle consiste en une rétraction concertée du domaine de la souveraineté nationale. Il existe de nombreux domaines où cette souveraineté est volontairement restreinte, mais ce sont en général des domaines qui n'affectent que de façon très marginale l'exercice des prérogatives régaliennes des États et pour lesquels, en outre, la nature globale ou internationale du domaine impose une concertation. Citons pêle-mêle, parmi les problèmes globaux, la gestion du spectre électromagnétique — ressource naturelle unique des systèmes de télécommunications — par l'UIT ou celle de la prévision météorologique par l'OMM et, parmi les problèmes internationaux, la réglementation des transports aériens par l'OACI. Une constellation d'agences spécialisées de l'ONU travaillent ainsi, chacune dans un champ étroit, à établir un ordre mondial.

La gestion de l'environnement présente, et présentera davantage dans l'avenir, ce caractère global, mais, à la différence des problèmes que l'on vient de citer, elle exige des mesures qui touchent à des intérêts stratégiques et économiques majeurs des États, de sorte que les bénéfices d'une action concertée se heurtent à la nécessité d'accepter des inconvénients substantiels. On rencontre ici, une fois de plus, la malédiction qui pèse sur toute régulation économique, l'avantage que l'on obtient à s'en affranchir quand tous les autres s'y soumettent.

Mais, en définitive, le problème auquel est confrontée l'humanité impose l'ajustement de la souveraineté nationale aux contraintes planétaires. Ce concept de souveraineté nationale, qui tend à être considéré par la géopolitique comme le fondement intangible de l'organisation du monde, n'est pourtant pas si ancien. Il est né en Europe au milieu du XVIᵉ siècle, avec le traité de Westphalie qui mit fin à la guerre de Trente Ans. Il a fallu près de trois siècles pour qu'il se précise et qu'il étende ses effets à la totalité du monde. Considérer que sa pratique actuelle marque un aboutissement définitif est un *a priori* que rien ne justifie.

Il me semble que nous, Européens, devrions être fiers des progrès que nous avons su accomplir, en un demi-siècle, pour constituer une Union au sein de laquelle des règles sont acceptées pour faire prévaloir, dans un certain nombre de domaines, l'intérêt communautaire sur les intérêts nationaux. Un organe exécutif, la Commission européenne, veille au respect de ces règles et une cour de justice, la cour de Luxembourg, sanctionne les violations. On entend dire que les progrès sont lents ; certes, ils peuvent le paraître au quotidien et ils se heurtent à beaucoup d'obstacles. Mais pour prendre la mesure de ce qui a été accompli, il faut se souvenir de l'époque où, il y a beaucoup moins d'un siècle, la France était entourée d'ennemis héréditaires.

L'Europe offre ainsi un modèle, sans équivalent dans le reste du monde, où des États souverains ont volontairement fusionné dans un ensemble commun une partie de leurs prérogatives nationales.

Je note au passage que cet ajustement du domaine de la souveraineté nationale n'a pas la nature d'une perte d'identité nationale, quel que soit le sens que l'on donne à ce terme. Dans un pays fortement centralisé comme la France, les identités régionales n'ont pas disparu. Un Breton n'est pas un Alsacien ; tous deux sont français et, sur le même modèle, les Français deviennent européens. Les slogans électoraux brandis à l'occasion des référendums européens — « Oui à l'Europe unie des États, non aux États-Unis d'Europe » — dissimulent mal, derrière leur vacuité, la crainte, venant de personnages de médiocre stature, d'une mise en question de leurs lieux de pouvoir.

Il est certain que le modèle européen, pour séduisant qu'il soit, ne peut se transposer aisément au niveau mondial. Il peut tout au plus être une source d'inspiration, mais il tend à créer, par un processus qui est loin d'être achevé, une frontière entre l'Europe et le reste du monde. Cette frontière devra à son tour s'adapter au caractère global des contraintes planétaires, mais elle est si peu solide que, s'agissant de l'enjeu climatique, les Européens ont encore des difficultés à parler d'une seule voix.

L'émergence d'une gouvernance mondiale chargée de maîtriser les relations de l'humanité avec sa planète sera, de toute évidence, un processus long et difficile ; il s'inscrit dans le temps de l'histoire. Il se pourrait, cependant, que la Terre fasse presser le pas des gouvernants en montrant des signes d'impatience. La meilleure voie pour progresser est sans doute de se donner, comme on l'a fait dans d'autres domaines, un outil institutionnel chargé de préparer les progrès, d'enregistrer les avancées et de contrôler leur mise en œuvre. Cet outil n'existe pas ; l'urgence la plus évidente est de le créer.

La démographie

Aucune des évolutions que la société humaine pourra connaître, qu'elles soient spontanées ou décidées par ses grands acteurs, ne la sauvera de l'asphyxie si la démographie globale n'est pas contrôlée. On peut s'interroger sur ce que serait l'effectif maximal d'une société au sein de laquelle les inégalités seraient maintenues à un niveau raisonnable. C'est un débat difficile parce qu'il est indissociable des réponses à d'autres questions et, en premier lieu, à celle de la pénurie ou de l'abondance énergétique. C'est aussi un débat dont l'importance capitale est masquée par la situation profondément inégalitaire des États et des individus. Ceux qui ont accès à la richesse détiennent aussi, de ce fait même, l'essentiel du pouvoir. Outre le fait que la misère des autres est aisée à supporter pourvu qu'elle soit discrète, cela conduit les nations puissantes à voir le monde à leur image, ou plutôt à imaginer que, par une évolution naturelle, l'ensemble du monde se rapprochera de celui qui leur est familier. Cette utopie s'exprime sereinement dans un écrit comme *The World is Flat*, de Thomas L. Friedman, qui donne une vision de la façon dont le monde occidental, avec la « mondialisation », a poussé des ramifications dans les interstices du sous-développement et confond ces ramifications avec la réalité du monde[1]. Il est aisé de voyager à travers ces appendices de l'Occident sans avoir aucune vision de l'océan de misère dans lequel ils sont immergés, tout comme, dans les sociétés coloniales, on pouvait vivre au sein d'îlots occidentaux sans contact avec le milieu humain ambiant. Au niveau de population atteint sur la Terre, l'élargissement du mode de vie de ces îlots à l'ensemble de la planète n'est simplement pas concevable et ne se produira pas plus que, dans le passé, l'accès des colonies au niveau de vie des colonisateurs. Cette uniformisation n'est pas « soutenable ». C'est ce que tentent de faire entendre, en construisant des concepts tels que l'« empreinte écologique » *(ecological footprint)*, des groupes qui s'attachent à montrer que, dès aujourd'hui, le niveau de consommation des ressources matérielles de la planète excède sa capacité de production. Certes, on peut entrer dans une critique détaillée de la façon dont est définie

1. Thomas L. Friedman, *The World is Flat*, Londres, Penguin Books, 2006.

l'empreinte écologique, mais il reste que, quelles que soient ces critiques et les améliorations que l'on peut concevoir, la planète est insuffisante[1]. La prospérité des uns ne peut se maintenir qu'au prix de la misère des autres.

Une régression de la population mondiale est une composante inéluctable de toute évolution vers une société pérenne alors que la croissance de cette population apparaît à beaucoup comme une sorte de donnée de fait, un phénomène sur lequel on ne possède aucun moyen d'action, sauf à utiliser des méthodes autoritaires. Cette croissance ne se distingue guère, à cet égard, d'autres éléments comme la croissance de la production, mais elle en diffère en cela que, dans sa dimension mondiale, elle n'est pas désirée. Elle n'est nullement considérée comme le fruit d'efforts ou comme un objectif, mais plutôt comme une vague menace sur laquelle il convient de faire le silence.

Quelles sont les sources de cette étrange pudeur? On peut penser qu'elles résident dans un passé très lointain. Il fut une époque où le nombre était un facteur déterminant de sécurité et de puissance du groupe. Ce fut le cas dans les époques où la capacité de défense et d'agression résidait dans le nombre, c'est-à-dire avant que, très récemment, ne deviennent dominants les armements collectifs et les armes de destruction massive. « Il est d'usage que Dieu soit du côté des gros bataillons contre les petits », écrivait Bussy-Rabutin. Comme il est naturel, cet avantage du nombre s'est sublimé en commandements religieux et en droit fondamental de la personne humaine à procréer. Cette croyance en la vertu intrinsèque de la croissance démographique n'a pas disparu aujourd'hui. On voit encore les

---

1. Frédéric Paul Piguet, Isabelle Blanc, Tourane Corbière-Nicollier, Suren Erkman, « L'empreinte écologique : un indicateur ambigu », *Futuribles*, n° 334, octobre 2007, pp. 5-24.

autorités gouvernementales se réjouir publiquement du fait que la croissance démographique de la France excède celle de ses voisins européens avec lesquels, cependant, aucun conflit armé n'est plus envisageable. C'est sans doute une réaction instinctive héritée d'une époque très ancienne et récente à la fois.

Ce qui caractérise le phénomène de saturation démographique de l'espace terrestre, c'est son extrême rapidité. On la mesure au fait qu'un individu qui atteint aujourd'hui l'espérance de vie d'un pays comme la France a vu l'effectif humain plus que tripler depuis sa naissance. Il dépasse aujourd'hui 6,5 milliards. Et, cependant, les rivalités et les soucis de sécurité s'expriment encore au niveau des ensembles nationaux, tout comme ils gouvernaient naguère le comportement des groupes. Le souci de la place de la nation sur un échiquier mondial les alimente. En d'autres termes, au-delà de l'instinct de procréation, c'est le compartimentage géographique qui dicte encore les mesures que doit ou que peut prendre le pouvoir pour favoriser la croissance. « Même si les jugements sur le surpeuplement de la planète trouvaient pleine confirmation, ils devraient dissuader les pays insuffisamment peuplés de toute politique de renonciation ou d'abandon. Et notamment ces jugements ne peuvent en rien modifier le problème de la population française, ni atténuer la nécessité d'un fort rajeunissement par reprise de la natalité[1]. » Il serait peut-être temps de réexaminer la signification de ces dogmes.

Un aspect moins communément reconnu que la rapidité de la croissance démographique est sa dimension d'irréversibilité, ou plutôt de dissymétrie, entre croissance et décroissance. Il est aisé d'en reconnaître la source primaire. L'équilibre de la population est atteint, dans les pays occi-

---

1. A. Sauvy, « Le "faux problème" de la population mondiale », art. cité.

dentaux, lorsque le taux de fécondité est un peu supérieur à deux enfants par femme. La capacité de reproduction est très supérieure à ce chiffre. La plupart des femmes peuvent procréer au moins six enfants, et elles le faisaient à une époque où les maladies de toutes sortes et le taux de mortalité infantile limitaient les effets de cette surproduction. Mais si l'on veut envisager une décroissance de la population, on est matériellement limité à un taux de fécondité compris entre zéro et deux. Encore faut-il, dans cette fourchette, engendrer une évolution de la pyramide des âges qui soit compatible avec un fonctionnement harmonieux de l'économie, c'est-à-dire où les actifs soient assez nombreux pour supporter la charge des personnes âgées. C'est le problème que commence à éprouver l'Europe, en particulier avec le paiement des retraites. Le seul pays à avoir entrepris un contrôle contraignant de la croissance de sa population, la Chine, est confronté à un problème de pyramide des âges et à d'autres effets pervers. Encore a-t-il dû utiliser des moyens autoritaires qui semblent impraticables dans un pays démocratique.

Quels sont les leviers sur lesquels on pourrait agir pour atteindre une décroissance de la population mondiale? On observe aujourd'hui une lente inflexion. La population continue à croître, mais elle le fait de moins en moins vite. La dérivée première reste positive, mais la dérivée seconde a changé de signe. Cela conduit, par extrapolation, et moyennant une certaine dose d'optimisme, à prévoir que la population passera par un maximum voisin de 9 milliards en 2050. Ces constatations posent de grandes questions. Est-on fondé à extrapoler cette inflexion de la croissance? Quelles en sont les origines et peut-on agir sur elle? Ce sont là des interrogations d'une importance capitale que je ne peux aborder que très sommairement.

L'IIASA (International Institute for Applied Systems

Analysis) s'est attaché à développer une approche statistique des projections de la population globale[1]. Le chiffre de 9 milliards en 2050, communément cité, n'est pas une prévision. Il est le milieu d'une fourchette qui, pour une probabilité de 80 %, s'étend de 7,8 à 9,9 milliards en 2050. En 2100, l'écart entre les deux extrémités de cette fourchette s'élargit de 6,2 à 11 milliards. Ces estimations reposent sur des projections régionales qui combinent une croissance explosive dans certaines régions — l'Afrique notamment — à une décroissance dans d'autres, au premier rang desquelles l'Europe de l'Est et la Russie. Ces projections laissent deux questions largement ouvertes. L'alimentation de l'humanité sera-t-elle confrontée au franchissement d'un point haut suivi d'une décroissance ou à une croissance continue qui déclencherait inévitablement des mécanismes de contrôle de type malthusien? Dans la meilleure des hypothèses, celle du passage par un maximum, la structure fragile des relations internationales résistera-t-elle aux tensions entre les zones surpeuplées et les zones en voie de déclin démographique? C'est là un problème dont la solution ne réside aucunement dans un rétablissement de la croissance démographique dans ces dernières.

Quelles peuvent être les lignes d'action devant la perspective où, dans le cadre d'une croissance démographique insoutenable, les inégalités s'accroîtraient entre des zones de croissance explosive et des zones de lent déclin? L'objectif global ne peut être qu'un contrôle de la population mondiale.

---

1. Wolfgang Lutz, Warren Sanderson and Sergei Scherbov, IIASA's 2007 Probabilistic World Population Projections, IIASA World Population Program Online Data Base of Results 2008, http://www.iiasa.ac.at/Research/POP/proj07/index.html?sb=5

L'existence d'un taux de fécondité excessif, à quoi se ramène le problème, semble avoir deux sources. L'une se situe au sein de la cellule familiale où l'on voit dans une nombreuse descendance un facteur de sécurité, singulièrement pour les vieux jours. L'autre subsiste, comme je l'ai relevé, au niveau des États-nations, autant par tradition que, de façon plus explicite, comme une réaction défensive aux menaces migratoires qui ont relayé la crainte des gros bataillons. Elle est enkystée dans des dogmes religieux qui nous viennent d'époques révolues.

La maîtrise de la population globale est le problème le plus lourd qui pèse sur l'avenir de l'humanité. Le rêve d'une solution technique miracle en est absent parce que les outils en existent déjà; tels qu'ils sont, ils conviennent et ne demandent guère à être perfectionnés. Mais le problème est toujours là, qui est de nature entièrement sociale.

Le niveau d'éducation des femmes et leur libération de la tutelle masculine semblent être les seuls facteurs sur lesquels on puisse agir si l'on s'astreint à respecter une composante fondamentale de la liberté individuelle. Il s'agit d'obtenir que s'étende à l'ensemble du monde la « transition démographique » que l'on observe dans les pays développés. C'est un domaine dans lequel l'action d'un État sur un autre État — d'un État dont la population est stable sur un État où elle explose — se heurte à toutes sortes d'obstacles spécifiques et en particulier au soupçon d'ingérence. On ne peut agir dans ce domaine de la même façon que l'on tente parfois de le faire pour l'aide alimentaire. On peut naturellement tenter de convaincre les dirigeants d'un État en croissance rapide que leur intérêt est de freiner cette croissance. Encore faut-il qu'ils aient les moyens de le faire vis-à-vis de masses humaines que leur misère, leurs traditions ou leur religion rendent impénétrables. L'outil le plus efficace dont puissent disposer les pays développés pour agir sur des populations qui, tout à la fois, stagnent dans le sous-développement et se multiplient rapidement réside dans les ONG qui savent accéder au niveau où résident les besoins d'éducation.

Sans doute n'est-il pas inutile de réfléchir en profondeur, comme le fait l'IIASA, sur les mécanismes qui gouvernent la croissance démographique et de perfectionner des théories prédictives. Mais ce sont là des activités qui relèvent plus de la contemplation que de l'action.

Il semble indispensable que les pays qui ont réussi leur transition démographique agissent avec discernement, en utilisant des relais appropriés, pour aider ceux qui se noient dans la croissance démographique à maîtriser ce problème. Sans doute serait-il temps aussi que certaines Églises portent, dans ce domaine, un regard critique sur les fondements de leurs dogmes et sur leurs responsabilités vis-à-vis de l'humanité.

11

Acteurs et obstacles

Il nous arrive quelquefois de condamner la condition
humaine, mais par comparaison à une perfection abstraite
qui n'existe pas. Au contraire la donnée, même pour le
réformateur le plus hardi, doit être l'humanité elle-même,
campée comme elle est, et vociférant comme elle fait.

ALAIN.

Je me suis attaché, dans ce qui précède, à définir les
limites qui s'imposent matériellement à une société
pérenne et les contraintes qu'elles engendrent. L'analyse
de ces contraintes, à l'exception de celles qui s'attachent
à la démographie, relève des sciences de la nature. Mais
l'intelligence des réactions sociétales relève des sciences
humaines et sociales. Ce n'est pas, pour ces disciplines, un
sujet dont elles puissent différer l'étude, car certaines des
difficultés que la société future devra résoudre émergent
déjà dans le présent. La pollution de l'atmosphère par les
gaz à effet de serre en est l'exemple le plus visible, mais
non le seul. Les manifestations actuelles de ces difficultés
telles qu'elles émergent aujourd'hui semblent encore dis-
jointes, mais elles ne le sont pas et le paraîtront de moins
en moins. La complexité du problème global tient d'ail-

leurs moins à celle des problèmes spécifiques qu'au réseau d'interactions qui les imbrique.

Sous l'éclairage des sciences sociales, il s'agit de l'évolution d'un système sociétal engagé dans une impasse. Au-delà des solutions que l'on peut concevoir à chaque composante technique de ce problème, c'est l'évolution du système dans sa globalité qui importe. Il serait loisible d'examiner les formes que pourrait prendre son déclin. Je m'interrogerai plutôt sur les voies d'une issue positive que, cependant, rien ne garantit. Dans cette perspective, je me propose d'examiner les trajets qui pourraient y conduire, le jeu des grands acteurs et les obstacles semés sur la route.

La réflexion sur la dimension sociétale des problèmes de finitude planétaire est moins nourrie et beaucoup moins courante que celle que conduisent les sciences de la nature. Harald Welzer relève cette carence en des termes particulièrement forts : « Il est frappant que presque tous les travaux portant sur ces phénomènes (études, modélisations, pronostics) ressortissent aux sciences de la nature, tandis que c'est le silence du côté des sciences sociales et humaines [...]. Dans toute l'histoire des sciences, on ne trouverait sans doute aucune situation comparable, où le scénario scientifiquement évident d'un changement des conditions de vie dans de vastes parties du monde soit enregistré par les sciences sociales avec une telle indifférence[1]. » Mis à part le cas des économistes qui, trop souvent, se bornent à aborder les problèmes du long terme par des ajustements à court terme, cette carence des sciences humaines, et en particulier de la sociologie, est évidente. Je ne prétends pas ici y remédier mais seulement évoquer ce

---

1. Harald Welzer, *Les Guerres du climat. Pourquoi on tue au XXIᵉ siècle* (trad. de l'allemand par Bernard Lortholary), Paris, Gallimard, 2009, pp. 45-46.

qu'il conviendrait de faire et dresser un tableau sommaire des composantes sociétales du problème de la finitude.

La constatation sur laquelle repose cette analyse est que, dans le long terme, une transformation massive du comportement de la société est indispensable ou, plutôt, qu'elle constitue l'alternative inéluctable au déclin. C'est dès aujourd'hui que certains aspects du comportement de la société doivent être examinés en fonction de l'objectif d'une société pérenne.

Je répète ici que société pérenne ne signifie pas société stagnante, sinon par le niveau de consommation des ressources matérielles. Dans le cadre de la contrainte de pérennité, rien n'interdit à l'évolution de se poursuivre dans ses dimensions cognitives et informationnelles, et l'on peut présumer qu'elle le fera. Il va de soi que cela implique une révision radicale, et non un simple ajustement, des critères qui servent à apprécier le succès d'une société et dont d'ailleurs le choix influe sur son comportement.

Le phénomène de mondialisation que nous observons aujourd'hui pourra se transformer mais non régresser, à moins que des pans entiers du système technique ne s'effondrent. Ce phénomène correspond à un certain stade de l'évolution de ce système ; on peut envisager qu'il s'adapte à des contraintes nouvelles, mais non qu'il recule. On peut penser, par exemple, à une limitation du recours aux transports pour la satisfaction des besoins matériels élémentaires, à un repli sur les produits de l'agriculture locale, mais cela ne signifie pas que doivent régresser les connexions que les techniques informationnelles établissent entre les diverses régions du monde. Le développement et le déploiement de ces techniques ne sont que très indirectement menacés par les pénuries de ressources matérielles de sorte qu'il est réaliste de considérer qu'une société pérenne en disposera à un niveau très supérieur à ce que nous connaissons aujourd'hui. Quant à l'évolution de la mobilité des personnes dans sa relation avec la perfection des moyens de communication audiovisuelle, c'est une dimension du problème que je laisse de côté à ce stade.

Un inventaire des acteurs

L'évolution vers une société pérenne implique une profonde transformation des comportements collectifs, ce qui suppose l'intervention des grands acteurs qui structurent la société. Un inventaire et une catégorisation de ces acteurs sont un préalable utile à toute réflexion.

Leur action s'appuie sur un degré de conscience des problèmes planétaires chez les individus qui détermine ce phénomène collectif que l'on nomme « l'opinion publique ». C'est dans la confrontation des grands acteurs avec cette prise de conscience, et avec la montée des opinions publiques qu'elle suscite, que l'évolution sociétale peut trouver sa source. Le niveau de prise de conscience est très divers selon les régions, allant de son absence complète chez des populations exclusivement occupées à survivre jusqu'à une interrogation, dans les régions les plus riches, sur le caractère durable de leur prospérité. C'est dans ce contexte fortement contrasté, et dans un monde divisé en États-nations, que s'inscrit le rôle des grands acteurs.

Au premier rang se placent ceux qui exercent l'autorité de l'État : les gouvernements qui expriment la fragmentation du monde, mais qui possèdent aussi la capacité d'agir collectivement en engageant la nation dont ils ont la charge. Les États se trouvent ainsi à la jonction des intérêts nationaux dont ils ont la garde et des problèmes globaux. L'opinion publique d'une nation reflète tout à la fois les intérêts nationaux et son niveau de conscience des problèmes planétaires. La contrainte qu'exerce cette opinion détermine, dans les pays démocratiques, les limites de ce que l'action gouvernementale peut entreprendre, voire réussir, à supposer qu'elle le veuille. Nous avons vu que l'échec de la conférence climatique de Copenhague illustre fortement cette disjonction des intérêts nationaux et de l'intérêt global. Il a révélé l'importance du clivage entre ces deux dimensions et le poids des intérêts nationaux dans les positions des gouvernements.

Parallèlement aux gouvernements se sont développées des structures internationales qui entretiennent des relations diverses avec le processus de mondialisation.

Certaines de ces structures procèdent de la volonté des gouvernements. Il en va ainsi du système formé par l'ONU et ses agences spécialisées, à quoi s'ajoutent des structures comme l'OMC et l'OCDE. Elles reflètent le besoin des États, et en particulier des États développés, de coordonner, à bénéfice mutuel, leurs actions dans certains domaines comme le commerce, ou de conduire en commun des réflexions sur les voies du développement économique.

L'exercice de la souveraineté nationale est le facteur limitant de l'action de ces structures. Dans l'immense majorité des cas, les règles qu'elles édictent et qui restreignent la liberté d'action des États ne peuvent être adoptées qu'à l'unanimité. Le pouvoir de sanction à l'endroit des États membres est aussi très faible. Comme nous l'avons vu, la seule exception concerne le droit de la guerre régi par le conseil de sécurité de l'ONU ; encore est-elle atténuée par le fait que le droit de veto donne à cinq membres importants la possibilité de bloquer toute action.

En plus des organisations d'origine étatique se sont créées une multitude d'organisations non gouvernementales, les ONG, dont un grand nombre bénéficient d'une reconnaissance officielle, en particulier auprès de l'ONU, par l'intermédiaire de son conseil économique et social. Je ne tenterai pas de donner une vue complète sur le foisonnement des ONG. Pour en prendre la mesure, on relèvera que près de trois mille d'entre elles ont un statut consultatif auprès de l'ONU et plusieurs centaines sont accréditées auprès de sa commission du développement. Parmi cette multitude, on distinguera les acteurs qui s'attachent à faire évoluer les comportements sociaux et ceux qui cherchent à influencer directement l'opinion publique.

Les premiers tentent d'agir sur le niveau d'éducation des femmes et sur leur asservissement à la tutelle masculine dans les pays qui conjuguent la pauvreté avec une natalité très élevée. Ce sont des domaines où seules les ONG sont en mesure d'éviter l'accusation d'ingérence dans les affaires d'un État souverain. Ce sont aussi des domaines où elles entretiennent des rapports ambigus avec les autorités religieuses attachées au respect de leurs dogmes, mais qui cependant appuient souvent l'action des laïcs. Face à l'évolution démographique, les États développés sont à peu près dépourvus de tout moyen d'action directe sur la scène internationale. Ils en sont réduits à observer. Ils se bornent à plaider que la « transition démographique » — la baisse de la natalité — est le résultat du développement et que leur rôle est d'aider le développement des pays pauvres. Sans doute y a-t-il là une part de vérité en ceci que la misère des masses les ferme aux influences extérieures et constitue une barrière aux actions éducatives. Mais l'aide au développement, d'ailleurs modeste, ne se substitue pas à l'action éducative.

L'action directe sur la prise de conscience des individus et sur l'opinion publique est le fait d'une catégorie d'ONG dont l'archétype est Greenpeace. Il n'est pas nécessaire de rappeler ici les actions médiatico-environnementalistes de cette organisation pour discerner que leur choix procède de la volonté de donner un spectacle. De là aussi la sélection de thèmes capables de susciter la peur, comme le nucléaire, ou d'éveiller la compassion, comme le massacre d'espèces animales. La violence est un autre ingrédient dont elle use — avec mesure — cependant que d'autres associations s'y livrent avec moins de retenue. À un niveau plus modeste, l'action des « faucheurs volontaires » combine un argument écologique avec un usage très modéré de la violence.

Ce type d'action est soumis à des contraintes spécifiques. Elle a besoin, pour assurer sa visibilité, que l'on se dresse publiquement contre l'état présent des choses, ce qui, par voie de conséquence, convoque l'image d'un opposant à l'autorité établie. De ce fait, cette catégorie ne peut ni ne veut établir avec l'État une relation de complicité comme peuvent le faire les ONG à but humanitaire. Il lui faut proclamer son indépendance, ce qui la condamne à rechercher la notoriété médiatique.

Une autre catégorie rassemble les structures dont les objectifs sont la production et le profit et qui forment l'armature du système économique. Ce sont les firmes industrielles et bancaires, acteurs centraux de la mondialisation, dont l'activité touche à tous les secteurs de la production. À l'endroit des problèmes planétaires, la position de cette catégorie d'acteurs est ambiguë parce qu'ils sont gouvernés par la recherche de profits immédiats, mais aussi par une stratégie à horizon plus éloigné. Cette stratégie reflète la nécessité d'une adaptation à ce que l'évolution du contexte a d'inéluctable. Il en résulte une combinaison, en proportions variables, de conservatisme à court terme, dicté par le profit, et d'adaptation à moyen terme, le tout saupoudré d'actions mineures destinées à améliorer l'image de ces firmes dans l'opinion publique. L'activité des firmes pétrolières est caractéristique de ce mélange de vision

à moyen terme et de conservatisme à court terme. L'attitude de ces acteurs majeurs de l'économie exerce une
influence puissante sur les gouvernements dans leur rôle
de gardiens de la prospérité économique. Ce serait une
erreur de considérer que toute composante nationale est
absente chez elles. On a pu voir, à l'occasion de la crise de
2007, que, confrontées à des difficultés majeures, les
grandes structures bancaires dites internationales savaient
parfaitement auprès de quel gouvernement se réfugier.

Les catégories qui précèdent n'épuisent pas, même schématiquement, la diversité des structures internationales.
Ce sont celles dont la relation avec les problèmes planétaires est la plus directe, soit qu'elles tendent à organiser
l'action des États au niveau international, soit qu'elles
cherchent à mobiliser les opinions publiques. Il faut y ajouter les structures publiques ou privées dont l'intervention
dans les crises ou les catastrophes établit une communication entre les pays développés et les pays pauvres. Il faut
aussi y ajouter les mouvements qui, comme la nébuleuse
altermondialiste, se donnent comme fin de transformer
radicalement la structure politique du monde par un processus révolutionnaire.

Restent enfin les médias, dont l'action s'exerce directement sur l'opinion publique. Dans l'appréciation de cette
action, il faut garder à l'esprit ce que dit Harald Welzer
de l'évolution du climat « qui est un objet des sciences de
la nature pour ce qui est de sa genèse », mais dont « les
conséquences sont un objet pour les sciences sociales
et humaines, car elles *sont* sociales et culturelles, et rien
d'autre »[1]. L'action des médias sur la conscience collective
est un aspect important de ce problème sociétal.

---

1. H. Welzer, *Les Guerres du climat, op. cit.*, p. 47.

Les voies du futur

Il est difficile de dégager, de la multitude des acteurs présents sur la scène internationale et de leurs interactions, les lignes probables d'une évolution. Mais on peut identifier, en fonction de ce qu'il serait désirable qu'elles fussent, les lignes d'action pertinentes et les acteurs principaux qu'elles impliquent. On peut aussi identifier les résistances auxquelles l'action se heurtera.

Il s'agit exclusivement d'un problème de transformation de la société. Les sciences de la nature peuvent préciser le contexte planétaire dans lequel elle se déroulera. Elles peuvent, en fonction de scénarios sociétaux arbitrairement choisis, préciser les changements imposés à la planète dans laquelle est enfermée l'humanité et dresser le tableau de ce que deviendra la biosphère si la société se comporte de telle ou telle façon. Mais il n'est pas de leur domaine de prévoir l'évolution de la société, pas plus qu'elles ne peuvent, naturellement, modifier l'environnement physique et biologique dans lequel cette société se meut.

Considérons d'abord le rôle des États-nations qui forment l'armature sociétale la plus solide et la plus universelle. Peu importe de savoir s'ils sont des acteurs primaires ou s'ils ne sont que l'expression d'un état plus profond de la société ; ce qui compte est leur capacité d'agir et leurs actions.

On ne peut ignorer que ces acteurs étatiques revêtent des formes très diverses, selon le degré de liberté qu'ils laissent à leurs populations et, surtout, selon leur capacité à la contrôler. Le nombre d'États faillis, ou en voie de l'être, est une dimension importante de l'action. Elle fait reposer sur les grands pays développés, et sur ceux qui sont en développement rapide, une responsabilité particulière, à la fois parce qu'ils sont la source principale de la collision avec les limites de la planète, parce qu'ils disposent de la majorité des moyens matériels et parce qu'ils proposent au reste du monde, à travers les techniques de diffusion de l'information, une image fallacieuse de l'état qu'il lui faudrait atteindre.

Le comportement des États-nations développés apparaît ainsi comme une dimension essentielle du problème planétaire. On peut y discerner deux composantes : la façon dont ils gèrent leurs propres affaires et leur attitude à l'endroit des zones sous-développées qui, rappelons-le, contiennent la fraction la plus importante de la population du monde et celle dont la croissance est la plus rapide.

Pour ce qui concerne leur propre mode d'existence, le problème essentiel est la réforme du système économique qui prévaut actuellement dans tout le monde développé, y compris la Chine. Il s'agit du libre jeu des forces du marché encadré par une régulation minimale. Une telle réforme est à l'évidence extrêmement difficile, pour deux raisons au moins. La première est le succès du système, succès avéré tant que l'on ne touche pas aux limites planétaires, à quoi s'ajoute le fait qu'on ne lui connaît aucune alternative viable. La seconde est que la compétition sur laquelle il repose tend à s'exprimer, non seulement au niveau des entreprises mais à celui des États-nations, d'où la tentation des gouvernements d'en assouplir les règles pour se ménager de nouveaux espaces de liberté.

Cette tendance a abouti à la crise financière puis économique de 2007 dont j'ai déjà relevé qu'elle n'est pas une crise de limites. Mais, dans la mesure où elle constitue une expérience involontaire de dimension planétaire sur le système sociétal, il est intéressant d'observer comment les États ont réagi à cette crise. Cette observation est, en effet, porteuse de leçons pour le futur. La menace d'un collapsus de la composante financière du système économique a d'abord suscité des actions concertées des États pour sauver dans l'urgence ce qui pouvait l'être. En d'autres termes, l'émergence brusque d'une menace globale a produit un rapprochement qui n'est pas sans analogie avec ceux qu'a produits dans le passé la menace d'un conflit armé global. Dans la durée, les effets de ce rapprochement sont beaucoup plus décevants. Les divergences nationales s'accusent dès qu'il s'agit d'amender un système dont on a cependant éprouvé qu'il portait en lui une redoutable instabilité. Dans l'urgence, les intérêts des grands acteurs convergeaient, non seulement ceux des gouvernements, mais aussi ceux des entreprises bancaires. À échéance moins immédiate, la tentation de tirer profit du système après l'avoir sommairement amendé prévaut du côté des acteurs du système financier. Elle influe sur l'action des gouvernements et les incite à proroger un système dont on sait qu'il porte en lui des bombes à retardement. Mais n'a-t-on pas fait la même chose après la Première Guerre mondiale en arrêtant les mesures politiques qui ont préparé efficacement la Seconde ?

Les crises engendrées par les limites de la planète ne seront ni aussi brutales dans leur déclenchement, ni aussi susceptibles de solutions temporaires que les crises du système économico-financier. Pour se donner les moyens de les surmonter, deux lignes d'action s'offrent aux pays développés.

Il leur faudrait d'abord se doter, comme je l'ai déjà dit, d'un outil de concertation sous la forme de ce que l'on pourrait appeler une « agence internationale chargée de l'environnement ». Son champ de compétences s'étendrait à la totalité des problèmes engendrés par les limites planétaires. Pourquoi un tel instrument ? D'abord parce que l'ensemble des problèmes que nous avons évoqués est nouveau et s'inscrit dans un avenir illimité. Mais aussi parce que, quelle que soit la détermination avec laquelle on aborde ce problème, l'adaptation de la société aux contraintes planétaires exigera du temps ; plus de temps, peut-être, que la Terre n'est disposée à nous en donner. Il y faut donc une structure dotée d'une pérennité suffisante. De telles structures existent déjà dans de nombreux domaines, mais la difficulté particulière qui s'attache à la conception d'une agence mondiale de l'environnement est que, pour qu'elle soit efficace, il faudra que son autorité empiète sur des aspects importants de la souveraineté nationale. Il s'agit, cette fois, d'un domaine qui touche à des intérêts économiques majeurs : l'énergie et les ressources alimentaires. L'évolution des attitudes nationales ne pourra être que progressive. Il faut donc créer un lieu de concertation propre à organiser le débat sur une base permanente et à enregistrer les avancées en les inscrivant dans la construction du droit international. Ce que la Seconde Guerre mondiale a produit à l'endroit des conflits armés, la collision avec les limites planétaires l'appelle pour la gestion de la biosphère.

L'obstacle des inégalités

Les inégalités dans la possession des richesses et dans la consommation des ressources s'établissent à deux niveaux, entre individus à l'intérieur de frontières nationales et entre nations.

Le système économique libéral qui prévaut dans les pays développés et dans ceux qui sont en voie de développement rapide comme la Chine et l'Inde est un puissant générateur d'inégalités de richesse entre individus. La courbe de Lorenz et le coefficient de Gini *(voir encadré)* en fournissent une approche statistique simple et permettent de caractériser l'évolution du degré d'inégalité d'une nation comme de comparer les nations entre elles. Un accroissement du coefficient de Gini traduit une montée de l'inégalité entre individus. Le coefficient de Gini des

---

COEFFICIENT DE GINI
ET COURBE DE LORENZ

Le coefficient, ou indice, de Gini permet d'apprécier globalement le niveau d'inégalité qui existe dans une société donnée. Il est le plus souvent utilisé pour analyser la distribution des revenus, mais s'applique de la même façon à celle des patrimoines. Il est compris entre 0 et 1 ; 0 représente l'égalité parfaite — tout le monde a la même chose — et 1 l'inégalité totale — personne n'a rien, sauf un individu.

Le coefficient de Gini est déterminé à partir de la *courbe de Lorenz* que l'on obtient en plaçant en abscisse d'un diagramme le nombre de ménages et en ordonnée la part cumulée du revenu total que reçoivent les ménages moins riches.

En cas d'égalité parfaite, la courbe de Lorenz se confond avec la droite qui joint l'origine au point qui a pour abscisse le nombre de ménages et en ordonnée le revenu total ; c'est la droite d'égalité parfaite. En cas d'inégalité parfaite, elle se confond avec l'axe des x.

Le coefficient de Gini apprécie globalement les situations intermédiaires. Il est défini comme le rapport de la surface comprise entre la courbe de Lorenz et la droite d'égalité parfaite à la surface du triangle compris entre cette même droite d'égalité parfaite et l'axe des x. Schématiquement, plus la courbe de Lorenz s'écarte de la droite d'égalité parfaite, plus l'inégalité croît et plus l'indice de Gini croît. On voit qu'il est nécessairement compris entre 0 et 1. En 2005, il était de 0,45 aux États-Unis et de 0,28 en France.

États-Unis est en croissance depuis deux décennies — il est passé de 0,38 à 0,46 —, ce qui signifie que la fraction la plus riche de la population s'enrichit plus rapidement que la plus pauvre. On peut caractériser ce phénomène de façon plus saisissante en observant, comme l'a fait Stiglitz, l'évolution du revenu médian. Le revenu médian divise les ménages en deux groupes égaux dont l'un rassemble les ménages qui gagnent plus que ce seuil et l'autre ceux qui gagnent moins. Stiglitz observe que, « en 2006, le revenu médian des ménages [aux États-Unis] était plus bas qu'en 1998 bien que le PIB par tête ait augmenté de 9 % au cours de cette même période[1] ». Cela signifie, en supposant, ce qui est extrêmement vraisemblable, que la distribution des revenus dans la moitié la plus pauvre ait peu changé, que cette moitié s'est appauvrie (en dollars constants) alors que la moitié supérieure absorbait plus que la totalité de l'enrichissement national. Ce phénomène illustre le dicton populaire selon lequel « l'argent ne va qu'à l'argent ».

Bien que les sociétés humaines n'aient jamais pratiqué l'égalité dans l'accès aux richesses, l'enrichissement généralisé des plus riches aux dépens des plus pauvres semble bien être inhérent à l'économie de marché dans sa pratique actuelle. La Chine, qui a pris le parti original de combiner un système de parti unique (prétendument communiste) avec l'économie de marché, est sujette au même phénomène. Les différences de revenus entre riches et pauvres s'y sont creusées pour atteindre et dépasser le niveau observé aux États-Unis : 20 % de la population chinoise possèdent 55 % de la richesse alors que les 20 % les plus pauvres se

---

1. Joseph Stiglitz, Amartya Sen et Jean-Paul Fitoussi, *Richesse des nations et bien-être des individus*, Paris, Odile Jacob, 2009, p. 62.

partagent 4,7 %[1]. Dans le même temps, le coefficient de Gini chinois est passé de 0,288 en 1981 à 0,45 en 2002 et dépasse aujourd'hui celui des États-Unis (0,41 en 2005).

Mon propos n'est pas ici d'analyser les mécanismes qui lient le système économique à un niveau d'inégalité sans rapport avec l'utilité sociale de ceux qui recueillent la richesse. C'est non seulement un problème économique mais aussi, comme je l'ai déjà relevé, un problème d'éthique et de stabilité politique du monde contemporain qui n'a pas de rapport direct avec les problèmes de finitude planétaire. Il n'est d'ailleurs guère surprenant qu'un système fondé sur la compétition et la dérégulation conduise à ce creusement des inégalités. Notons cependant que le défunt système communiste offrait un tableau différent, mais pour d'autres raisons aussi peu attrayant. Les coefficients de Gini des anciens pays communistes étaient généralement inférieurs à ceux des pays capitalistes, mais ce résultat était obtenu au prix d'un faible niveau de vie des populations, niveau auquel échappait une frange d'apparatchiks.

Si je m'intéresse ici aux inégalités, ce n'est pas en raison de leur dimension éthique, mais en raison des conséquences qu'elles peuvent avoir sur la capacité d'évolution de la société. Elles ont pour conséquence de concentrer non seulement la richesse mais le pouvoir d'agir entre les mains d'une minorité de « privilégiés » qui naturellement aura tendance à préserver sa position, c'est-à-dire à pratiquer le conservatisme au-delà des limites où il devient dangereux. On en voit les effets dans le traitement des crises qui affectent le système économique, quelle qu'en soit d'ailleurs l'origine. Elles sont abordées avec le dessein de les maîtriser moyennant un ajustement minimal du

---

1. Martine Bulard, « Progrès et inégalités : la Chine aux deux visages », *Le Monde diplomatique,* janvier 2006, p. 12.

système tel qu'il existait avant la crise. Ce facteur de freinage de l'évolution sociétale va à l'encontre de sa capacité d'adaptation aux tensions engendrées par la finitude planétaire. Conjuguée à une croissance des inégalités individuelles, cette rigidité du système sociétal pourrait généraliser une perception de la disparité entre l'utilité sociale et la richesse qui fut un caractère de la noblesse d'Ancien Régime et créer ainsi une situation révolutionnaire. Je laisse de côté la question de savoir ce que serait l'issue d'une catastrophe révolutionnaire, mais il me semble douteux que les démocraties et la société de liberté puissent y survivre.

À l'inégalité des individus s'ajoutent les inégalités de niveaux de vie des États-nations et de leurs prélèvements sur les ressources terrestres. Ces inégalités énormes sont mises en évidence, par exemple, au moyen du PIB par tête qui varie dans le rapport de 1 à 200 entre les pays les plus pauvres et les pays les plus riches. Les inégalités entre les pays ont des sources complexes qui ne sont pas directement assignables à tel ou tel système économique. Mais, quelles qu'elles soient, ces inégalités constituent une situation de fait à l'endroit de laquelle les mêmes mécanismes de conservatisme ne manqueront pas de jouer, et ce d'autant plus que les ressources terrestres interdisent un nivellement par le haut.

Les inégalités individuelles et celles qui sont contenues tant bien que mal par les frontières créent des facteurs d'instabilité au niveau national comme au niveau international. Elles constituent également un puissant facteur de rigidification de la structure sociétale qui assimile le changement à la perte des privilèges. Cela a conduit, dans le passé historique, à des ruptures brutales.

Je n'entends pas prononcer ici un plaidoyer égalitariste mais seulement constater que les démocraties se sont écartées sans mesure de l'idéal exprimé par l'article premier de la Déclaration des droits de l'homme et du citoyen, principe auquel se réfère la Constitution française : « Les distinctions sociales ne peuvent être fondées que sur l'utilité commune. »

Quoi qu'il en soit, l'existence de ces inégalités constitue un élément de fait dont les effets et la dangerosité pourront être appréciés dans l'avenir.

La promotion de l'action individuelle

Dans un essai qu'il a consacré à l'évolution du climat, le biologiste australien Tim Flannery s'est attaché à l'observation des effets cumulatifs du réchauffement du climat et de leurs conséquences actuelles sur la vie terrestre[1]. Les évolutions de la biosphère sont moins aisées à contester et moins susceptibles d'alimenter des polémiques que les prévisions fournies par les simulations numériques de l'environnement. À la différence des modèles numériques, elles ne fournissent pas de projection sur l'avenir, mais elles intègrent les effets de l'évolution sur le passé récent. Elles sont directement observables, ce qui n'est pas le cas d'une quantité comme la température moyenne de la planète qui mesure le phénomène primaire mais au prix du traitement numérique complexe d'une multitude de données locales. Le repli vers les pôles des espèces arctiques, au rythme d'environ six kilomètres par an, et la montée vers les sommets des espèces montagnardes, au rythme de six mètres par an, témoignent d'un effet cumulatif du changement climatique comme si, écrit Flannery, « les chercheurs

---

1. Tim Flannery, *Les Faiseurs de pluie. L'histoire et l'impact futur du changement climatique* (trad. par Raymond Clarinard), Paris, Héloïse d'Ormesson, 2006.

avaient pris le CO_2 sur le fait, en train de conduire la nature vers les pôles avec un fouet ». Des changements de grande ampleur accompagnés de destructions pèsent sur un grand nombre d'espèces animales ou végétales et reflètent l'altération de leurs niches écologiques. Il s'agit, par exemple, des migrations vers les hautes latitudes d'espèces très diverses, depuis les copépodes marins, repérés à plus de mille kilomètres au nord de leur habitat traditionnel, jusqu'aux oiseaux dont le cycle de reproduction se trouve décalé par rapport à celui des espèces dont ils se nourrissent. Comme le prévoient les modèles, les effets de ce changement climatique sont d'autant plus accusés que l'on s'élève en latitude ; l'intensité du réchauffement va croissant de l'équateur aux pôles et, pour les espèces arctiques, il n'existe pas de refuge autre que l'extinction. La dernière partie du livre de Flannery, qui développe une vision des actions nécessaires pour enrayer le désastre qui menace et des obstacles auxquels elles se heurtent, est beaucoup moins convaincante. Harald Welzer, dont nous avons déjà évoqué les réflexions sociologiques, s'exprime à ce sujet d'une façon particulièrement sévère : « On peut être irrité, à la lecture de livres comme celui de Tim Flannery, [...] par le contraste entre l'acuité des analyses et la niaiserie des propositions pour résoudre les problèmes. Lorsque, par exemple, Tim Flannery, au terme d'une étude démoralisante sur l'évolution du climat, recommande d'acheter une voiture plus petite, de préférer à la perceuse à percussion la bonne vieille chignole à main, [...] ce n'est nullement à la mesure du problème précédemment décrit[1]. » Et certes, c'est uniquement par une transformation profonde des comportements collectifs que les problèmes de finitude planétaire peuvent être, éventuelle-

---

1. H. Welzer, *Les Guerres du climat, op. cit.*, p. 47.

ment, maîtrisés. Mais il semble que cette condamnation des modestes actions individuelles néglige une question importante qu'il appartiendrait précisément aux sociologues d'analyser : quelle relation existe-t-il entre ces actions que certains essaient de promouvoir et l'émergence des comportements collectifs dont tout dépend ?

Nous sommes tous familiers de ces innombrables invitations à « sauver la planète » et à nous livrer à des gestes individuels dont certains sont parfaitement dérisoires : éteindre symboliquement ses lumières pendant cinq minutes et de surcroît dans un pays où 80 % de l'énergie électrique est fournie par le nucléaire ; économiser l'eau pour la toilette dans des régions où aucune pénurie n'est à craindre autre que celle qui résulterait d'un gaspillage par les usages agricoles, etc. L'interrogation que ces actions suscitent est celle-ci : contribuent-elles à la généralisation de la prise de conscience de l'existence d'un problème global ?

Il convient d'envisager cette question sous deux éclairages. Quel est l'objectif de ces actions et quels peuvent être leurs effets ? Quels sont leurs acteurs et qu'est-ce qui gouverne l'attitude de ces acteurs ?

L'objectif le plus apparent est la transformation des comportements individuels. Cela peut s'exercer sur des aspects plus importants que la parcimonie dans l'usage individuel de l'eau pour la toilette, par exemple sur l'acceptation d'un surcroît de dépenses pour réaliser des économies d'énergie en isolant son habitation. Il est vrai que, dans ce cas, la motivation est ambiguë comme la forme de l'incitation : vous contribuerez à « sauver la planète » et vous récupérerez à terme votre investissement en économies de fonctionnement. Mais il reste que la prise de conscience d'un problème général accompagne ces mécanismes de motivation individuelle. La question qui demeure ouverte est de savoir si cet effet de sensibilisation individuelle sera assez général et assez profond pour influer sur la réaction collective à la perception d'une menace globale. Pour l'ap précier, il faudrait mesurer le degré de pénétration de ces messages dans les populations arrivées à divers degrés de développement.

Cela nous ramène à la question du rôle des grands acteurs. Ces acteurs disposent d'un état du système technique qui a transformé en quelques décennies la diffusion des informations dans le monde, donnant à toutes les populations la possibilité de voir comment l'on vit ailleurs et universalisant le désir de rattrapage.

Les acteurs qui s'appuient sur la composante informationnelle du système technique pour atteindre l'opinion publique relèvent principalement de trois catégories : les médias et ceux qui en contrôlent l'usage, les associations de défense de l'environnement et les partis politiques engagés dans l'action environnementale. Les rôles respectifs de ces trois composantes exigeraient une analyse approfondie. Que peut-on dire, de façon schématique et nécessairement critiquable, des forces et des faiblesses de ces acteurs ?

Les médias, et plus particulièrement les médias audiovisuels, occupent une position à part. Il leur appartient tout à la fois de porter le message et éventuellement de le formuler ou de le distordre. La visibilité des deux autres acteurs — associations et partis — passe par leur accès aux médias, et les médias ne sont pas neutres. Ils peuvent être engagés mais, même s'il ne le sont pas, ils sont astreints à la quête d'audience, que ce soit, bien évidemment, les médias commerciaux ou même les médias de service public. Cela les conduit à promouvoir des slogans naïfs et à préconiser des actions individuelles que l'on peut juger insignifiantes en regard de l'ampleur des problèmes. Mais, si elle est dérisoire dans ses effets directs, cette démarche ne l'est pas nécessairement dans son action sur la sensibilité publique et, par voie de conséquence, sur l'acceptabilité politique de démarches collectives. Par ailleurs, les médias offrent une place prioritaire aux manifestations spectaculaires, et surtout à la controverse. Le goût de la controverse, source assurée d'audience, les porte à donner un poids immodéré à tous ceux qui sont prêts, quel que soit leur niveau d'incompétence, à mettre en question les consensus les mieux établis[1]. Cette tendance se dissimule sous les habits d'une déontologie d'équité à l'endroit de toutes les opinions, si peu fondées qu'elles soient. Leur comportement ouvre ainsi une facilité d'accès aux puissances conservatrices qui trouvent leur intérêt immédiat dans l'immobilisme. Le discours négationniste des « écologistes sceptiques » ne connaîtrait pas un tel succès sans l'appui de ce mécanisme médiatique.

La recherche du spectaculaire tend, nous l'avons dit, à distordre la démarche des associations de défense de l'environnement et les conduit à privilégier les actions qui ont une grande visibilité médiatique. Mais la principale faiblesse des associations écologiques me semble être qu'elles donnent beaucoup plus de relief à ce que, selon elles, il faut interdire : OGM, antennes GSM, lignes à très haute tension, etc., qu'à ce qu'il conviendrait de faire. D'où le sentiment que leur démarche ne procède d'aucun projet à long terme, d'aucune vision globale de ce que devrait devenir le monde.

C'est là le prix dont il leur faut acheter la renommée.

Les partis politiques rencontrent des problèmes différents parce qu'ils sont des lieux de pouvoir politique direct — ce que ne sont pas, en principe, les associations. Ils sont

---

1. Naomi Oreskes et Erik M. Conway, *Merchants of Doubt. How a Handful of Scientists Obscured the Truth on Issues from Tobacco Smoke to Global Warming*, New York, Bloomsbury Press, 2010, p. 19.

d'ailleurs le propre des démocraties et, comme tels, ils sont astreints aux jeux de pouvoir de ce système politique. Ce qu'est la visibilité pour les associations, la recherche des suffrages l'est pour les partis, elle les contraint à user de précautions, sauf à perdre une assise électorale souvent modeste. C'est ainsi qu'en Europe ils sont muets — entre autres sujets délicats — sur la menace de la démographie globale. Et naturellement ils sont, comme tous les partis, et plus généralement comme tous les lieux de pouvoir, soumis au jeu des ambitions personnelles et des risques de division dont elles sont porteuses. La scène politique française en offre le spectacle quasi permanent.

Ce bref inventaire des acteurs sociaux qui agissent au niveau individuel peut sembler décevant, mais il traduit une réalité dont il faut bien s'accommoder.

12

Perspectives

Vieille terre, rongée par les âges, rabotée de pluies et de tempêtes, épuisée de végétations, mais prête, indéfiniment, à produire ce qu'il faut pour que se succèdent les vivants !

Vieil homme, recru d'épreuves, détaché des entreprises, sentant venir le froid éternel, mais jamais las de guetter dans l'ombre la lueur de l'espérance !

CHARLES DE GAULLE, *Mémoires de guerre*.

J'ai proposé, au départ de cette réflexion, une représentation du phénomène global dont nous essayons de discerner l'issue comme l'entrée en interaction forte de deux systèmes : un système naturel, la biosphère, et un système sociétal, l'humanité munie de sa technique.

Leur interaction existe depuis les origines de l'homme, mais elle n'a produit, jusqu'à un passé encore proche, que des effets marginaux sur le système naturel. Leur progression lente a permis aux deux « partenaires » de s'adapter. Puis le processus s'est accéléré sous la pression de l'évolution technique et de la croissance démographique au point d'engendrer une évolution de la biosphère à laquelle la société ne pourra pas très longtemps survivre sans accepter des changements majeurs de son comportement.

L'un et l'autre des systèmes en interaction sont des ensembles d'une immense complexité et leur interaction présente, à un degré encore plus élevé, ce même caractère. Dans le passé, on a pu les étudier séparément en considérant que l'évolution du système sociétal ne produisait pas d'effets de premier ordre sur la biosphère et que l'évolution de la biosphère n'influait pas significativement sur celle de la société. La profonde disjonction qui s'est établie entre les sciences de la nature et les sciences humaines reflète la faiblesse, jusqu'à une époque récente, de l'interdépendance des domaines qu'elles étudient. Seule la géographie avec ses deux branches, physique et humaine, établit un pont entre les deux secteurs de la connaissance ; encore est-elle considérée avec quelque condescendance par les spécialistes de l'un comme de l'autre. Elle tenait pour acquis, dans un passé encore proche, que le paysage géographique est une donnée relativement stable. Pour le reste, on constatait bien, ici et là, l'épuisement de quelques mines d'argent ou de quelques gisements d'or alluvial, mais il existait toujours d'autres mines et rien n'était fondamentalement changé. Cette disjonction du social et du naturel ne peut convenir à l'étude d'un horizon lointain, déterminé par l'interaction forte des deux systèmes.

À cette séparation de l'approche physique de la biosphère et de l'approche humaine de la société s'est ajoutée progressivement, au cours des derniers siècles, la nécessité de décomposer l'analyse de chacun des deux systèmes en autant de disciplines qu'il était nécessaire pour les mieux comprendre et pour adapter leur étude aux limitations de l'esprit humain. Cette approche disciplinaire privilégie nécessairement un horizon rapproché allant de quelques décennies au siècle, ce que nous avons appelé le « moyen terme ». La vision de l'avenir qu'elle tend à établir est une projection vers le futur des problèmes du présent.

On observe que, dans le domaine des sciences de la nature, un énorme effort de compréhension est entrepris autour d'un phénomène global, l'altération du climat par la pollution de l'atmosphère. Mais s'attacher à un phénomène global et durable, le climat, ne signifie pas que l'on s'attache à la globalité du problème : l'évolution — ou l'altération — de la biosphère dans ses composantes physiques et biologiques et les réactions de la société à ces évolutions. Ce n'est pas, naturellement, que l'on puisse négliger l'approche disciplinaire. Elle pose les assises d'une démarche plus générale. Mais, s'agissant de cette dernière, on ne peut qu'être frappé par la disparité entre la dimension du problème auquel l'humanité est confrontée et la faiblesse de l'effort de réflexion synthétique qu'il suscite. À l'origine de cette carence est l'incrédulité ou, plutôt, la volonté de s'aveugler, assorties de la répugnance foncière des disciplines académiques à sortir des ornières qu'elles ont elles-mêmes creusées. Elles fabriquent des « experts » qui paient inévitablement leur expertise de l'étroitesse de leur vision.

L'introduction de l'horizon millénaire au point de départ de la réflexion conduit, d'une façon qui peut sembler paradoxale, à simplifier le problème, ou plutôt à mettre en relief ce qui détermine l'avenir à long terme et qu'il faut dégager du foisonnement des problèmes à court et moyen terme. Cette simplification introduite par l'horizon millénaire permet de discerner dans le présent ce que j'ai appelé les racines du futur.

Toute approche visant à embrasser le long terme est évidemment fonction de l'objectif qu'elle s'assigne. L'objectif d'une société pérenne d'emprise globale repose, je le répète, sur un choix éthique.

Cette société doit vivre en équilibre avec son environnement, c'est-à-dire ne pas dégrader plus de ressources matérielles et biologiques qu'il n'en peut fournir. Est-il besoin de le souligner, l'évolution qu'imposera la finitude ne conduira pas nécessairement à une société de ce type. Elle peut se traduire par un déclin irréversible. Il n'est pas difficile de construire des scénarios de ce déclin. Le plus probable me semble être que, sous l'effet des pénuries de toutes sortes, se produisent un repliement sur les structures nationales, le creusement des inégalités entre ces structures et l'évolution de leurs systèmes politiques vers des formes autoritaires, voire totalitaires. Des conflits guerriers entre ces structures repliées sur elles-mêmes interviendraient inévitablement pour hâter leur régression et les désagréger, sans même qu'il soit besoin d'envisager pour cela une catastrophe nucléaire.

Je m'interroge, pour ma part, sur les voies d'une issue positive. Cela conduit impérativement à identifier, dans l'inventaire des problèmes du futur, ceux dont la solution détermine l'existence même de ce futur.

Deux problèmes se placent en amont de tous les autres et demandent donc une attention particulière : les ressources énergétiques et le contrôle de la démographie.

Le problème de l'énergie gouverne celui de la production de nourriture et d'eau potable, celui de la démographie gouverne la consommation, pour un niveau d'inégalité donné, de ces mêmes ressources matérielles fondamentales. De telles affirmations peuvent sembler sommaires. Il est de bon ton, dans le milieu des démographes, de considérer que la notion de population mondiale n'a guère de sens, que la menace portée par la démographie globale s'effacera d'elle-même ; une sorte de main invisible y pourvoira avec la même efficacité magique que prêtent les économistes à celle qui gouverne le marché. C'est là une vision politiquement correcte dont le moins que l'on puisse dire est qu'elle est optimiste.

Elle fait abstraction, en effet, de deux éléments essentiels. En premier lieu, l'effectif total de l'humanité a déjà dépassé le niveau qu'une société pérenne et raisonnablement égalitaire peut matériellement supporter. En second lieu, la distribution des ressources est entachée d'une inégalité telle qu'elle transforme de vastes zones de la planète en mouroirs et de larges fractions de la population en miséreux.

On peut valablement s'interroger sur l'aboutissement de la « transition » démographique et sur la généralisation à l'ensemble du monde du taux de fécondité qui s'observe dans les pays développés. Mais il faut alors prendre garde aux hypothèses concernant la consommation des ressources et le niveau d'éducation que suppose la généralisation de cette transition. Le développement rapide de la Chine et de l'Inde commence à concrétiser le problème de consommation des ressources. Le niveau de population d'une société humaine vivant en équilibre stationnaire avec le milieu terrestre devrait être nettement inférieur au niveau actuel. Ce n'est donc pas seulement une stabilisation, mais une décroissance qui pourrait établir une situation d'équilibre. Entre la croissance de la population et le niveau de développement qui conditionne le niveau d'éducation s'établit un cercle vicieux qu'il serait nécessaire de rompre. Et ce d'autant plus que, dans les pays les plus développés, le PIB continue à croître à un rythme que les progrès de la productivité ne compensent que partiellement. L'ensemble de la société humaine vit ainsi, au jour le jour, dans une spirale de croissance dont il lui faudra, d'une façon ou d'une autre, sortir. Je n'exprime ici ni ne prêche une idéologie de la décroissance ; je constate seulement que le couple croissance démographique-consommation des ressources matérielles se place aujourd'hui sur une trajectoire qui ne pourra pas longtemps se maintenir. C'est une négation dogmatique de cette constatation que pratiquent les idéologues du « laisser-faire ».

Il n'existe pas non plus de conception d'ensemble d'un système technique sur lequel pourrait s'appuyer une société pérenne, mais l'existence d'un tel système est une composante indissociable de l'existence même de cette société. Il est vain de vouloir considérer séparément l'homme, d'une part, et la technique, de l'autre. La technique est partie intégrante de la nature humaine. Mais si l'évolution du système technique vers celui dont disposerait une société pérenne est, pour une large part, imprévisible, on peut, comme je l'ai déjà dit, identifier l'élément dont il aura absolument besoin : une source d'énergie dotée, à l'échelle du millénaire, de la pérennité. À cette échelle de temps, l'humanité affronte un deuxième problème, aussi grave que celui de la croissance démographique : celui de l'épuisement des gisements de matière carbonée qui fournissent aujourd'hui 80 % de l'approvisionnement énergétique total. Les échéances pourront être rapprochées par les menaces que crée l'enrichissement de l'atmosphère en CO_2, mais, de toute façon, au rythme actuel de consommation, la société pérenne sera privée de ces ressources fossiles, et tout indique que l'on est en train de s'engager dans un avenir de pénurie énergétique. La mise en œuvre du dogme d'un recours exclusif aux diverses formes de l'énergie solaire débouchera inévitablement sur cette pénurie.

On peut naturellement faire de la décroissance de la consommation énergétique une idéologie, mais c'est ignorer que l'évolution de la biosphère exigera, à production donnée de nourriture, d'eau potable et de matériaux, des quantités croissantes d'énergie. Ainsi, ce qui est aujourd'hui une démarche raisonnable d'économie peut se transformer en un principe de régression. Devant le problème d'approvisionnement énergétique qui se profile à un horizon proche, aucune filière ne peut être négligée. La disponibilité d'une source d'énergie pérenne est un facteur qui déterminera ce que pourra être une société pérenne et de quelles ressources matérielles elle pourra disposer.

L'essentiel des problèmes de la pérennité tient donc en ces deux composantes : démographie et énergie. De façon plus ou moins directe, toutes les autres composantes en dépendent, y compris la préservation de la biodiversité dans des territoires où elle ne serait plus écrasée par la présence humaine.

Dans leurs aspects sociétaux, les questions qui s'attachent à la pérennité excèdent la dimension nationale. Une question centrale est de savoir si, confrontés aux tensions qui se manifestent dès aujourd'hui et dont la solution va déterminer le futur, les États-nations vont réagir par un repliement ou par la mise en commun de certains problèmes.

Le repliement sur la protection des intérêts nationaux est la démarche la plus spontanée, celle qui trouve le plus facilement un soutien dans l'opinion publique, dans les conservatismes profonds et dans le populisme. La nature de la mise en commun des efforts ne doit pas être ignorée. Elle a le caractère d'une rétraction librement consentie du domaine de la souveraineté nationale ; c'est l'amorce du développement d'une gouvernance mondiale. La présence de ces deux évolutions antagonistes — repliement sur les structures nationales ou développement d'une supra-nationalité — est discernable dès aujourd'hui dans les débats auxquels donne lieu l'évolution climatique.

Dans la mise en commun de certains problèmes globaux, il faut partir des gouvernances telles qu'elles existent. Le rôle des gouvernements nationaux et des structures internationales qu'ils se sont données est central. On ne voit guère d'autres structures qui pourraient, à l'échelle mondiale, exercer une action globale qui soit dictée par la prise en compte des limites planétaires.

Encore faudra-t-il qu'ils sachent le faire, qu'ils le veuillent et qu'ils le puissent.

Les ressources du savoir sont à leur disposition, mais elles sont incomplètes, inadaptées et fragmentées. Certaines d'entre elles se structurent profondément autour de la notion d'État-nation et, de ce fait, autour de problèmes du court terme qui sont le pain quotidien du pouvoir politique. Il s'agit ici, pour l'essentiel, des sciences humaines, mais les sciences de la nature ne sont pas exemptes de cet ancrage dans le présent.

Ce poids dominant du court terme est particulièrement marqué dans la science économique. Son inadaptation au long terme se manifeste par son attention exclusive aux questions de production et par l'ignorance où elle se tient des questions de patrimoine naturel, le prétexte souvent invoqué pour justifier cette carence étant qu'il est impossible de « chiffrer » ces patrimoines qui sont pourtant objet de propriété nationale. Or, si le présent est soumis aux problèmes de production, le futur le sera aux évolutions du patrimoine naturel. Les tentatives pour remédier aux déficiences évidentes du PIB se bornent le plus souvent à introduire la notion de « bien-être » ou de « bonheur » de la population dans de nouveaux indices, ce qui sans doute est louable[1]. Mais, outre que l'on touche là à des notions peu quantifiables, on ne s'attaque pas au cœur du problème, c'est-à-dire à l'adéquation de la ressource patrimoniale à la consommation.

---

1. Pierre Le Roy, « Comment mesurer le bonheur », *Futuribles,* n° 362, avril 2010, pp. 37-49, et Émile Quinet, « L'argent ne fait pas le bonheur Réflexions autour du rapport de la Commission Stiglitz », *loc. cit.*, pp. 51-55.

La science démographique n'est pas exempte de cette répugnance à embrasser les problèmes globaux au point qu'elle nie, dans de nombreux textes, la valeur même de la notion de population mondiale. C'est ainsi qu'Hervé Le Bras écrit : « Ce nombre accroît-il ou diminue-t-il le risque de souffrir de la faim ? de détruire la nature ? [...] Force est de constater que connaître la taille et l'évolution de la population mondiale ne nous apprend rien sur ces sujets[1]. » Ce rejet, curieusement, s'accompagne d'une attention extrême portée à la « transition démographique », à ses mécanismes, à la probabilité qu'elle maintienne la population mondiale à un niveau acceptable, voire qu'elle soit suivie d'une décroissance naturelle.

De leur côté, les sciences de la nature sont loin d'avoir achevé la compréhension du système naturel, mais, à quelques exceptions individuelles près, elles sont moins portées que les sciences humaines à ajuster leur message à ce que le pouvoir politique souhaite entendre. C'est qu'elles sont soumises à un arbitre capable de dire non : la nature.

La fragmentation du savoir est un obstacle à l'élaboration de la vision globale sur laquelle pourrait s'appuyer l'action politique. Il n'est que de voir la véritable fureur qu'a suscitée, dans certains milieux, la publication par le Club de Rome du rapport Meadows. On peut y discerner la réaction corporatiste à une tentative de synthèse dérangeant les disciplines dans leurs territoires et dans leurs liens établis avec le pouvoir.

À supposer que le pouvoir politique ait à sa disposition tous les outils intellectuels nécessaires pour tracer des lignes d'action, encore faut-il qu'il veuille le faire et qu'il

---

1. Hervé Le Bras, *Vie et mort de la population mondiale*, Paris, Le Pommier, 2009, p. 149.

le puisse. L'alternative est ici l'affrontement des volontés nationales ou leur fusion partielle dans une forme de pouvoir supranational ; en d'autres termes, comme je l'ai dit, une rétraction du domaine de la souveraineté nationale. La construction d'une gouvernance mondiale est une démarche nécessaire, elle est l'alternative au déclin. Elle ne peut se faire que très progressivement. Le rythme de sa construction sera gouverné par le renouvellement des générations — car on change peu les hommes, on les renouvelle par les naissances et les décès. Il sera influencé par les échéances que consentira la Terre. Naturellement, on ne doit pas concevoir cette gouvernance sur le modèle des pouvoirs nationaux. Il n'est nullement nécessaire, et il serait certainement nuisible qu'elle s'exerce dans tous les domaines et surtout qu'elle puisse ouvrir la porte à un totalitarisme global. Il serait parfaitement utopique, et potentiellement dangereux, de considérer, comme le voulait Einstein, que « l'État mondial devrait se contenter d'être le détenteur exclusif de la puissance militaire[1] ». C'est la dernière chose qu'il faudrait lui confier. Comme au sein d'un État fédéral, le partage du pouvoir entre les différents niveaux de la puissance publique serait une dimension essentielle et un facteur capital d'équilibre.

Cette évolution de la souveraineté nationale, à supposer que les pouvoirs politiques nationaux en viennent à la souhaiter, posera inévitablement, en regard de la question de ce qu'ils veulent, celle de ce qu'ils peuvent. La préservation des valeurs de la démocratie impose des contraintes au pouvoir, celles que lui assigne la souveraineté du peuple, c'est-à-dire l'opinion publique, et le pouvoir politique n'est pas seul à agir sur cette opinion. C'est là, sans doute, que

---

1. Albert Einstein, *Œuvres choisies*, VI, *Écrits politiques*, Paris, Éd. du Seuil, 1991, p. 188.

réside le cœur du problème : amener le corps social à comprendre ce à quoi il est confronté ; ce corps social formé d'une multitude de têtes peu chargées de savoir, mais encombrées de traditions, de croyances et de dogmes.

La société humaine, face à une transformation fondamentale de sa relation à la Terre, ne peut échapper, pour survivre, à la nécessité d'une transformation profonde de sa structure et de ses comportements. Il est vain de le nier. Cela s'est produit souvent dans le passé, mais de façon moins radicale et moins rapide que ce que va exiger, dans les quelques siècles qui viennent, l'évolution inéluctable de la relation de l'humanité à la Terre.

REMERCIEMENTS

Je remercie très vivement Estelle et Frédéric Halgand pour leur
lecture attentive du manuscrit et pour leurs précieuses suggestions.

DU MÊME AUTEUR

Aux Éditions Gallimard

L'ENGRENAGE DE LA TECHNIQUE. ESSAI SUR UNE MENACE PLANÉTAIRE (« Bibliothèque des sciences humaines »), 2005.
L'ENFERMEMENT PLANÉTAIRE (« Le Débat »), 2008 ; « Folio actuel », 2011.

Aux Éditions Hachette Littératures

L'ESPACE : LES ENJEUX ET LES MYTHES, 1998.

LE DÉBAT

Volumes publiés

MARCEL GAUCHET : *La Religion dans la démocratie. Parcours de la laïcité.*

JEAN-LUC GRÉAU : *Le Capitalisme malade de sa finance. Des années d'expansion aux années de stagnation.*

JEAN-LUC GRÉAU : *L'Avenir du capitalisme.*

JEAN-LUC GRÉAU : *La Trahison des économistes.*

MICHEL GUÉNAIRE : *Déclin et renaissance du pouvoir.*

NATHALIE HEINICH : *Pourquoi Bourdieu.*

GODFREY HODGSON : *De l'inégalité en Amérique. La vague conservatrice, de Reagan à Bush.*

JEAN-NOËL JEANNENEY : *L'Histoire va-t-elle plus vite ? Variations sur un vertige.*

LIONEL JOSPIN : *Le monde comme je le vois.*

HERVÉ JUVIN : *L'Avènement du corps.*

HERVÉ JUVIN : *Produire le monde. Pour une croissance écologique.*

HERVÉ JUVIN : *Le Renversement du monde. Politique de la crise.*

JEAN DE KERVASDOUÉ : *Santé : pour une révolution sans réforme.*

JÁNOS KORNAI : *Du socialisme au capitalisme. L'exemple de la Hongrie.*

G. KRICK, J. REICHSTADT, J.-P. TERRAIL : *Apprendre à lire. La querelle des méthodes.*

ANDRÉ LEBEAU : *L'Enfermement planétaire.*

BERNARD LEWIS : *Europe-Islam. Actions et réactions.*

BERNARD LEWIS : *Que s'est-il passé ? L'Islam, l'Occident et la modernité.*

BERNARD LEWIS : *L'Islam en crise.*

JEAN-FRANÇOIS LHÉRÉTÉ : *La France en recomposition.*

GILLES LIPOVETSKY, ÉLYETTE ROUX : *Le Luxe éternel. De l'âge du sacré au temps des marques.*

JEAN DE MAILLARD : *L'Arnaque. La finance au-dessus des lois et des règles.*

BERNARD PIVOT : *Le Métier de lire. Réponses à Pierre Nora.*

KRZYSZTOF POMIAN : *L'Europe et ses nations.*

BERNARD POULET : *La Fin des journaux et l'avenir de l'information*

JACQUES RIGAUD : *Libre culture.*

Composition CMB Graphic.
Achevé d'imprimer
sur Roto-Page
par l'Imprimerie Floch
à Mayenne, le 25 mars 2011.
Dépôt légal : mars 2011.
Numéro d'imprimeur : 79331.
ISBN 978-2-07-013239-3 / Imprimé en France.

180371